AUBE D'HUMANITÉ

Du même auteur, aux Éditions Anne Sigier :

Solitude graciée, 1995, 272 p.
Promis à la gloire : toi, 1998, 246 p.
Naître à ta lumière, 1999, 238 p.
L'amour est vivant ! 2002, 272 p.
Le vide « habité », 2004, 238 p.
Aubes et lumières, 2005, 306 p.
Lève-toi resplendis ! 2005, 197 p.
Croire jusqu'à l'ivresse, 2009, 352 p.

Collection « Va boire à ta source » :
Qui a lavé ton visage ? 1994, 152 p.
Braise silencieuse, 1995, 142 p.
Mes larmes d'éternité, 1995, 146 p.
Pour le seul bonheur de vivre, 1996, 142 p.
Les injustices de l'amour, 1996, 158 p.

Yves Girard o.c.s.o.

AUBE D'HUMANITÉ

Profil d'éternité

Médiaspaul reconnaît l'aide financière du Gouvernement du Canada par l'entremise du Fonds du livre du Canada (FLC), du Conseil des Arts du Canada et de la Société de développement des entreprises culturelles du Québec (SODEC) pour ses activités d'édition.

 Conseil des Arts du Canada   Canada Council for the Arts   Patrimoine canadien   Canadian Heritage   Société de développement des entreprises culturelles   Québec

Catalogage avant publication de Bibliothèque et Archives nationales du Québec et Bibliothèque et Archives Canada

Girard, Yves, 1927-

Aube d'humanité: profil d'éternité

ISBN 978-2-89129-573-4

1. Vie spirituelle. 2. Actualisation de soi – Aspect religieux. 3. Anthropologie théologique. I. Titre.

BL624.G57 2011   204'.4   C2011-940518-0

Éditions Anne Sigier est une marque de Médiaspaul Inc. depuis juillet 2009.

Composition et mise en pages: *Robert Charbonneau*
Maquette de la couverture: *Marie-Isabelle Morais*
Illustration de la couverture: *Reed Silhouettes © Imre Forgo - Dreamstime.com*

ISBN 978-2-89129-573-4

Dépôt légal — 2ᵉ trimestre 2011
Bibliothèque et Archives nationales du Québec
Bibliothèque et Archives Canada

© 2011   Médiaspaul
3965, boul. Henri-Bourassa Est
Montréal, QC, H1H 1L1 (Canada)
www.mediaspaul.qc.ca
mediaspaul@mediaspaul.qc.ca

Médiaspaul
48 rue du Four
75006 Paris (France)
distribution@mediaspaul.fr

Imprimé au Canada - Printed in Canada

OUVERTURE

Singulière expérience quand, après avoir été soumis à toute forme d'autorité, tu aperçois soudain l'univers à tes pieds!

Te revient en mémoire le commandement des origines: «Remplissez la terre et soumettez-la» (Gn 1, 28).

«C'est l'os de mes os», avait dit le premier homme devant celle qui lui était assortie (Gn 2, 23); «Voilà qui me convient!» enchaînes-tu à sa suite.

La vérité qui émane alors de tes racines se fait plus persuasive que tous les arguments accumulés et, à l'avance, réfute toute contestation.

Une fois engagé dans ce tournant, tu te sais dispensé du besoin d'être reconnu par tes semblables.

CHAPITRE 1

TON SOLEIL LEVANT

La presque totalité des actes que tu as posés a toujours eu pour objectif de te valoriser à tes propres yeux, aux yeux des autres et aux yeux de Dieu lui-même.

Mais c'était là un drame dont tu ne mesurais pas la profondeur.

Par là, en effet, tu signalais à tous que tes actes avaient plus de valeur que ta personne.

C'était aussi une manière de dire à Dieu qu'il ne pouvait t'aimer en ne prêtant attention qu'à ta seule personne, et qu'à l'image des humains, il jugeait sur le paraître et se laissait influencer par les dehors.

Et si tes actes avaient eu suffisamment d'envergure pour s'imposer à la face du monde, tu aurais eu la tentation de t'enfermer dans le « faire » alors que tu n'as de valeur que par le poids de ton être.

Il arrive si souvent que ton agir, surpris en état de défaillance, vienne témoigner de ta fragilité.

Par contre, le poids de ton être, lui, ne peut décevoir, ni toi, ni tes semblables.

* * *

Quelle serait ta réponse si, aujourd'hui, on allait t'interroger en disant : « Qui es-tu ? »

Si, un peu cavalièrement, tu allais affirmer : « Je suis une personne humaine à part entière ! », cette répartie ne t'empêcherait pas de trembler devant le mépris et le rejet de la part de tes semblables.

Il a toujours été si tragique pour toi de n'être pas reconnu !

Tu as réagi comme s'il n'y avait en toi aucune base où asseoir ta certitude d'exister vraiment.

Tu as toujours circulé comme si tu n'étais pas autorisé à vivre par toi-même !

De façon constante, tu as été à la merci de l'accueil ou du rejet de ceux qui t'entouraient.

Et quel baume quand, sans flatterie, on accordait une loyale admiration à ce que tu avais pu accomplir !

Comme si le regard que tous posaient sur toi avait le pouvoir de te faire entrer dans le néant ou de t'en sortir à volonté !

Drame, naufrage et angoisse que de disparaître dans le magma indifférencié !

Tu attends d'être reconnu.

Tu tiens viscéralement aux caractéristiques qui te démarquent de l'ensemble des humains.

Il est si pacifiant pour toi de contempler un sage baignant dans une paix que rien n'arrive à perturber !

Quel miracle que celui d'une personne immunisée contre l'opinion, positive ou négative, de ceux qui l'entourent, indifférente à la désapprobation comme à la louange !

Admirable témoignage donc que celui d'un individu profondément enraciné dans la conscience qu'il a de lui-même, et ce, sans complaisance aucune !

Quand tu sentiras lever en toi l'audace d'imposer à tous les traits de ton visage, l'univers apprendra à respirer.

Après avoir entendu le sage témoigner en disant: «J'ai prié, et l'intelligence m'a été donnée» (Sg 7, 7), tu t'es pris à envier le sort de cet homme dont la demande aurait été exaucée, alors qu'après tant de supplications, tu demeures privé de cet état si désirable, exilé de ce pays de lumière où lui semble installé à demeure.

Mais réagir ainsi, envier sa part, c'est te rendre coupable d'une grave injustice envers toi-même!

Tu n'es pas défavorisé par rapport à lui, car tu reçois autant que tu as d'audace à réclamer.

Tu es exaucé à la stricte mesure de ton désir.

La différence qui existe entre lui et toi, n'est pas que ce dernier se voit exaucé alors que toi, tu ne l'es pas.

Exaucé, le sage, dans la mesure où sa prière aurait été plus parfaite que la tienne?...

Regardons-y d'un peu plus près.

Sache d'abord que ce n'est pas ta prière qui te méritera la visite de la Sagesse.

La prier est comme si tu t'en faisais le maître et que tu pouvais lui dicter la conduite à suivre, venir chez toi, en l'occurrence!

Tu estimes avoir un pouvoir sur elle aussi longtemps qu'elle-même, et de son plein gré, n'a pas choisi de faire irruption chez toi.

L'obtention de la Sagesse ne sera jamais le fruit de tes initiatives.

C'est elle qui doit venir te surprendre au cœur.

C'est elle qui doit t'éveiller à sa présence.

«Qui se lève tôt pour chercher la Sagesse n'aura pas à peiner, il la trouvera assise à sa porte» (Sg 6, 7).

Il te faut prendre à la lettre cette affirmation de l'Écriture.

Quand, croyant imiter le sage, tu te surprends à la prier, c'est que déjà elle t'a touché du bout de son doigt.

Il est en effet une loi étrange qui préside à ton entrée dans la lumière.

Tu peux trouver le repos uniquement dans ce qui t'est inaccessible.

Tu peux être éclairé par cela seul que tu es incapable de comprendre.

Tu ne peux vivre que de prévenances, de surprises et d'éblouissement.

Accumuler les connaissances ne fera jamais de toi un vivant !

Il n'y a pas seulement absence de cause à effet entre les lumières acquises et la vie, mais incompatibilité !

Remarque que c'est seulement après que la chaleur est parvenue à une très grande intensité qu'elle peut commencer à émettre de la lumière.

Cela laisse entendre que c'est à partir du cœur que doit commencer et s'achever toute connaissance.

Si elle se veut au service de la vie, la lumière doit jaillir à partir d'un cœur en feu !

Cette loi, si élémentaire, quelle place lui as-tu accordée dans tes parcours ?

* * *

Avec le récit de la visite du Sauveur dans le village de son enfance, l'évangile te met face à l'inextricable complexité des rapports humains, dans les relations de travail, de famille, dans les relations sociales, etc.

Tu aspires à être reconnu et apprécié par tes proches, mais c'est là pour toi le défi le plus difficile à relever, une démarche sans fin.

Aux yeux de tous ceux qui t'entourent, en effet, la richesse insondable de ton mystère s'efface dès qu'ils aperçoivent chez toi le moindre élément qui les contrarie ou une valeur qui risque de leur porter ombrage.

Ici, une seule mauvaise herbe suffit à voiler la beauté du jardin.

C'est là l'injustice la plus courante et la plus criante qui soit, celle qu'il ne t'est jamais permis d'accepter.

Quand tu crains que la première faiblesse de ta part puisse reléguer dans l'ombre la profondeur et la stabilité de ton mystère, c'est là te renier toi-même !

Le désarroi qui est le tien, dès que l'on te refuse un tribut de reconnaissance, est la preuve que c'est là chez toi un droit fondamental.

Lorsque tu es méconnu, ton tout premier réflexe est parfois de mettre en lumière les côtés positifs de ta personne afin de persuader ceux qui t'entourent qu'ils se trompent dans le jugement qu'ils portent sur toi.

Mais c'est là les inviter à oublier ton mystère pour ne prêter attention qu'à tes victoires.

Ce que tu attends, ce que tu espères, ce qui est primordial pour toi, ce n'est pas d'être apprécié à la mesure du bien que tu peux accomplir, mais d'être reconnu et respecté dans l'inviolabilité de ton mystère.

Tu as été construit pour être aimé, la preuve en est que tu entres en agonie dès que l'amour t'est refusé !

Mais il faut pousser plus avant et affirmer que tu es construit pour être reconnu, et aimé de façon privilégiée, unique et exclusive!

Quelque chose au fond de toi, le plus vrai de toi, exige que l'Amour qui se penche sur toi soit tout entier à toi, comme si tu étais seul au monde.

C'est une expérience de cette nature qui se cache sous les traits si admirables d'une personne parvenue à l'état de sagesse.

Il y a chez toi cette inacceptable capitulation qui consiste à craindre que tes traits de caractère ou la plus infime de tes carences puissent altérer en quoi que ce soit la richesse et la densité de ton mystère.

Au dire de l'évangile, un enfant, si ingrat puisse-t-il être, ne perd rien de sa dignité aux yeux de son père (Lc 15, 12-24).

Mais comme il est difficile de séparer ainsi tes moissons de ton titre d'enfant de la maison!

Tes fautes et ton ingratitude n'enlèvent rien au droit que tu as d'être embrassé.

Défi insurmontable, en effet, pour toi que de devoir te présenter devant Dieu avec l'assurance d'être le mieux aimé au moment même où ta conscience se sentirait chargée de tous les péchés du monde.

Plus redoutable encore est le défi qui consiste à te présenter devant tes semblables avec la certitude au cœur que tes manquements et tes erreurs laissent intacte la luminosité de ton être.

Le fait que le Christ soit né dans le village mal famé de Nazareth ne l'a pas empêché de revendiquer le droit de s'appliquer à lui-même la parole dont il venait de faire la lecture dans la synagogue: «Aujourd'hui s'accomplit à vos oreilles ce passage de l'Écriture..., l'Esprit du Seigneur est sur moi» (Lc 4, 16-30).

Quelle paisible audace peut donner la certitude d'être aimé!

Dans l'évangile, tu auras remarqué ce véritable scandale où des exclus se jettent aux pieds du Sauveur en réclamant pour eux, et pour eux seuls, toutes les grâces dont le Ciel peut disposer.

Tous ceux-là n'ont d'attention que pour eux-mêmes.

À leurs yeux, les besoins de leurs semblables et les souffrances qui labourent l'existence de tant de personnes autour d'eux, rien de tout cela n'existe plus désormais: ils n'ont de souci que pour leurs propres besoins.

Égoïsme inacceptable, si tu veux, mais égoïsme salutaire qui oblige la grâce à envahir tout leur être pour les configurer au Christ dans ses souffrances et dans ses humiliations et être ainsi rendus participant de sa gloire (Ph 3, 10).

Il n'y a donc jamais danger à prier pour toi-même, car si ta prière est sincère et vraie, elle ne peut que t'amener à te livrer tout entier pour les autres à l'image de ton Sauveur.

Difficile alors de parler d'égoïsme!

Ta prière ne sera véritablement chrétienne qu'au jour où, comme tous ces êtres en détresse, tu auras l'audace d'accaparer tout le ciel uniquement pour toi et de le mettre à ton service!

Comprenne qui a des oreilles!

D'où vient donc que ton être représente si peu de valeur à tes yeux, et que ton agir, lui, revête une si grande importance?

Demeurer esclave des balances, accorder la moindre attention à tes œuvres bonnes autant qu'à tes œuvres mauvaises, c'est là mépriser la plus belle partie de ton être.

Et, plus grave encore, c'est là nier ce qu'est Dieu, lui qui se nourrit uniquement de ta personne.

Quand, maladroitement, tu réclames l'attention de ceux qui t'entourent, tu leur deviens à charge, et ton insistance les éloigne de toi.

Aussi impossible que cela paraisse, cette reconnaissance par autrui du fait que tu existes vraiment, elle te sera refusée aussi longtemps que, dans ta détresse, tu en auras un impérieux besoin!

Et le jour où enfin tu seras parvenu à te suffire à toi-même, tous s'approcheront de toi pour te dire à quel point tu as du prix à leurs yeux, et combien ta présence leur est indispensable!

Ils se diront alors les uns aux autres: «Quelle assurance paisible se dégage de cet individu! À quelle valeur peut-il bien être rattaché pour demeurer indifférent au rejet tout comme à l'approbation de ses semblables?»

Ainsi, tous viendront te confirmer dans ta valeur d'être au moment précis où tu n'auras plus besoin de leur témoignage.

C'est quand tu n'attendras plus rien des autres que tous seront disposés à te confirmer dans ce que tu es.

La douleur de l'esseulement n'est là que pour t'inviter à ne plus t'appuyer sur des roseaux qui percent la main (Is 36, 6).

14

Crois-le : le premier besoin de ceux qui t'entourent n'est pas que tu te dévoues à leur cause.

Le plus appréciable des services que tu peux leur rendre est de leur permettre de t'admirer dans la mesure même où tu peux te dispenser de leur admiration !

Éminent prodige : te savoir confirmé dans l'être au point de ne plus douter de toi !

Vertigineux défi : en arriver à ne plus rien attendre des humains qui t'entourent afin de les éveiller à leur besoin qui est de vivre d'admiration !

Le jour où tu parviens à cet état de certitude intérieure, il te devient tout à fait naturel de croire que Dieu lui-même t'accorde toute son attention !

Te voilà alors libéré du carcan des conditionnements humains.

Si auparavant il t'avait fallu être aimable pour être aimé, désormais il n'y a plus aucune relation de cause à effet entre ton amabilité et la certitude qu'un Amour est penché sur toi.

Le plus grave de tous les mensonges ne consiste pas à affirmer comme vrai ce que tu sais être faux, mais à accorder plus de valeur à ce que tu « possèdes » qu'à ce que tu « es », à miser davantage sur ce que tu « accomplis » que sur le « poids de ton être ».

Et encore, ce n'est là qu'un premier seuil.

Vient ensuite le mensonge qui consiste à jauger un amour par les fruits qu'il peut produire.

Le Sauveur a parlé de l'arbre bon qui porte de bons fruits, mais la surprise est que c'est sur des arbres pourris et sans repentir qu'il a cueilli les meilleurs fruits : « En vérité je vous le dis, il tire plus de joie d'elle que des quatre-vingt-dix-neuf qui ne sont pas égarées » (Mt 18, 13).

Une personne en amour, en effet, après avoir été bouleversée par le mystère, va s'émerveiller devant les gestes les plus simples que pose la personne aimée.

Les actes les plus insignifiants deviennent alors la plus grande merveille du monde.

Dès que le mystère est atteint, il transfigure l'agir jusque dans ses moindres manifestations!

Ce ne sont pas les gestes qui révèlent l'amour: c'est l'amour qui confère aux moindres gestes une densité infinie.

Chaque fois que tu rêves d'accomplir de grandes choses, et chaque fois que tu éprouves une secrète satisfaction lorsqu'on te félicite pour ce que tu as pu conduire à bonne fin, tu fais preuve d'irrespect envers le caractère sacré de ta propre personne, et tu circules en dehors des enceintes de la lumière, de la lumière de l'Amour.

Tu autorises ainsi ceux qui t'entourent à oublier ton mystère, pour ne prêter attention qu'à tes actes, et à mesurer la richesse de ta densité intérieure à la lumière des gestes que tu poses.

Mais les actes les meilleurs ne révèlent en rien le mystère d'une personne.

On ne mesure pas la valeur d'un individu par sa rentabilité comme lorsqu'il s'agit d'un instrument.

Ce serait là oublier la loi première de l'amour qui ne peut vivre que de la beauté découverte au cœur de l'autre, splendeur qu'aucun langage ne peut traduire, et que la plus belle œuvre ne saurait que ternir.

CHAPITRE 2

CONTEMPLATION

La perspective d'une plénitude sans voix, sans mouvement et sans changement, l'immobile état, ne suscite guère d'enthousiasme chez toi.

Comme si tu n'étais pas intéressé par ton ultime accomplissement!

La permanence et la stabilité ont tôt fait de faire surgir l'ennui au cœur de ta maison.

Une impatience s'installe en toi quand les rares moments de solitude que tu t'accordes se prolongent au-delà de la brève mesure que tu leur as assignée.

Il devient urgent de retourner à tes enjeux habituels pour fuir le vertige suscité par le message qui monte alors de tes profondeurs!

Le silence demeure ton ami à la condition qu'il ne prolonge pas indûment sa visite!...

Prêter une parcelle d'attention au meilleur de ce qui demande à vivre en toi exige des minutes précieuses qui auraient souvent avantage à être employées autrement.

Hélas, les ouvriers ont toujours été en surnombre!

C'est ce qui explique que l'humanité s'étiole!

* * *

Les routes du monde sont remplies de chercheurs de sens.

La terre est peuplée de quêteurs de lumière : les uns la découvrent, d'autres devront se résigner à mourir sans l'avoir jamais rencontrée.

Quand la vie te prive ainsi de ce que tu aimerais tellement posséder, elle t'invite à examiner ton attitude face à l'inconnu.

Comme il serait agréable pour toi de pouvoir circuler en possession d'une lumière qui te permettrait de poser sur les personnes, les choses et les événements un jugement définitif, te mettant à l'abri de toute erreur et de toute déception !

Pourquoi une telle faveur ne pourrait-elle pas t'être accordée ?

Si tu ne disposes pas de toute la lumière que tu désirerais posséder, c'est moins parce qu'elle ne serait pas disponible qu'en raison de ton manque d'ouverture face à elle.

Il est plus salutaire pour toi d'être privé de ce à quoi tu aspires que de subir le choc dévastateur de ce que tu ne saurais gérer avec sagesse et prudence.

C'est là l'éternelle tentation du Paradis : accéder à la lumière avant d'être en mesure d'en supporter l'éclat.

* * *

Tu rêves de guérir, tu rêves d'acquérir, tu rêves de conquérir, mais si tu parviens à rectifier ta conduite dans le but de te rapprocher de l'autre lumière, tu ne rencontreras toujours que ta propre clarté.

Il te faudra faire naufrage pour qu'au fond de l'épave apparaisse ton visage !

Si cette perspective a de quoi te troubler, c'est que tu n'as pas mesuré la profondeur de l'expérience que ton fond appelle.

Tu rêves de progrès, tu rêves de perfection, tu rêves de bonheur!...

Mais quel est donc le nom de cet étrange malaise qui te maintient tendu vers un bien-être qui échappe à ton emprise et fuit constamment devant toi?

Est-ce là mensonge, mirage, illusion, ou si ce ne serait pas plutôt la partie la plus noble de ton être qui s'exprime alors?

Un jour, tu regretteras amèrement l'insuffisance des aspirations qui sont les tiennes aujourd'hui, et ton indifférence face à tes espaces intérieurs, plus vastes que le champ de tes convoitises et plus enviables que la somptuosité de tes rêves.

Sache que tu n'as pas les aptitudes nécessaires pour parvenir à un bonheur qui serait à ta mesure.

Tes mains ne sont là que pour t'apporter la ration de pain dont tu as besoin chaque jour.

Il te faut entrer dans ce mystérieux univers où rien ne s'achète et où rien ne se mérite.

Là, pour négocier, tu auras pour unique monnaie ton visage en larmes offert au baiser de feu.

Un seul remède à ton mal, une seule réponse à tes questions: assister à ton soleil levant et être envahi par une béatitude qui emporte le cœur!

* * *

Révélation : ton cœur ne peut accepter aucune contrainte, même pas celle de la lumière, puisque son premier charisme est de la faire jaillir dans l'intensité de sa chaleur !

Il se sent menacé de sclérose, ton cœur, devant la moindre chose que tu lui apportes, comme s'il ne lui revenait pas d'enfanter lui-même ce qui est susceptible de le rassasier !

Il étouffe, ton cœur, quand il reçoit.

Présider à tout est sa respiration.

Créer est sa loi première.

Ce que tu connais au moyen de tes facultés t'enferme dans le partiel et le limité.

Quand tu exiges de tout vérifier, tu te fermes au plus pur de ce qui t'est présenté.

Les analyses sans fin dessèchent la sève du cœur.

Exiger l'évidence, avant de donner ton assentiment, manifeste que ta source est tarie.

Ne vivre que de certitudes, c'est t'enfermer dans la nuit !

S'il fallait que le déraisonnable te soit interdit !...

Jusqu'à ce jour, tu as fait l'expérience de lois qui contraignent et qui emprisonnent.

Mais un code inédit attend de t'enfanter à une forme étrange de liberté.

Étonnante législation, en effet, celle qui sourd de l'intérieur et qui, sans t'imposer la soumission, te dispense de toute obligation !

Ce serait agir contre toi-même que de contribuer en quoi que ce soit à ton propre couronnement.

Ici, ajouter, c'est t'appauvrir !

Quelle réaction sera la tienne, le jour où tu sentiras monter de ton intérieur un flot de vie sollicitant la permission de t'envahir?...

* * *

C'est dans l'amour que, normalement, les humains engendrent.

Comment donc, en l'absence de l'amour, pourrais-tu être engendré à toi-même?

L'irruption de ton mystère dans ton champ de conscience est la preuve que tu es dans l'amour.

La mise au monde de ton mystère en dehors de l'amour ferait de toi un être à l'image de Lucifer, l'ange «porteur de lumière», et non plus une créature à l'image de Dieu.

Parvenir à la «conscience d'être» par un autre chemin que celui de l'amour serait la «mise à mort» de ton mystère: éternelle tentation de l'homme psychique à l'assaut des sommets!

Dans l'ordre naturel, il suffit d'entrer en possession de ce que tu espères pour en découvrir aussitôt les limites.

Au monde de la grâce, cette loi s'inverse: ce qui t'attend sera toujours plus merveilleux que le plus merveilleux de tes rêves!

Un désir secret t'habite.

Tu es ouvert à un impossible.

Crois-le, ton intérieur est plus vaste que tes aspirations!

Il te faut apprendre à rêver comme un vivant, c'est-à-dire à enfanter quelque chose de plus grand que ce que tu es, à l'image de parents qui, vivant dans un milieu défavorisé, donneraient le jour à un prodige : Mozart, Dante ou Rembrandt.

S'il est réconfortant de te sentir observé par des yeux qui baignent dans la naïveté, c'est dans la mesure où tu es toi-même habité par un mystère d'innocence.

C'est ce qui explique aussi que tu es vivement interpellé par tout ce qui te renvoie à ce meilleur de toi-même : le printemps, l'enfance, l'aurore, etc.

Le regard que tu portes sur toi-même a besoin d'être aidé par ces signes pour que tu puisses atteindre à la pleine perception de ce que tu es.

Il s'agit moins alors d'intensifier la puissance de ton regard, que de donner une plus grande limpidité à ta pupille.

* * *

Dans l'ordre physique, tu ne peux apercevoir les traits de ton visage.

De même, ton profil spirituel demeurera toujours hors de tes atteintes.

Dans l'ordre de la grâce tout autant que dans celui de la nature, la pudeur du mystère se protège ainsi contre ton irrespect.

Injustice alors, ou bien invitation à t'ouvrir à un mode supérieur de perception ?...

Dans une relation affective, la profondeur et l'insistance du regard qui se pose sur une personne a le don de la révéler à elle-même : bouleversante expérience !

L'attention d'un seul individu apporte alors plus de bonheur et de paix que l'admiration de la multitude.

Image lointaine de ce qu'il t'est donné de vivre dans l'avènement chez toi de la «conscience d'être».

Aussi longtemps que tu en as la liberté, tes choix se font en fonction des objectifs que tu désires atteindre.

À cette étape de ton évolution, tu es persuadé que ton progrès spirituel est lié à la générosité de tes efforts.

Mais, chemin faisant, prend place en toi une levée de lumière, et tu n'y es pour rien!

Un jour, une main dont tu n'avais jamais soupçonné la présence, vient te servir «l'inespérable».

Elle te révèle que tu possédais déjà par hérédité ce qu'en vain tu avais partout cherché.

Bienheureuse révélation qui t'immunise contre toute influence étrangère.

Dès lors, tu n'es plus régi que par ton intérieur.

Dans l'ordre habituel des choses, chaque fois que tu dois prendre une importante décision, il convient de procéder à un discernement pour éviter de t'engager dans une fausse direction.

Mais quand il y va de l'essentiel, une seule expérience suffit, concluante et «béatifiante», comme ce qui a cours dans la découverte du grand amour!

C'est là une des plus belles surprises que la vie te réserve.

Mais, tu ne pourras entrer chez toi avant d'avoir été éveillé à la troublante intensité de ta soif!

Et, pour ce faire, aucun raisonnement ne peut aider ta cause!

Aucune morale n'est en mesure d'éclairer ta démarche!

Aucun exemple ne saurait stimuler ta croissance!

Pour naître, l'enfant déchire le corps de sa mère.

Naître à toi-même c'est être traversé par une force qui t'arrache à tes enjeux immédiats pour te tourner résolument vers un autre horizon.

Consolation : le tourment qui sévit alors en ton intérieur confirme que tu es en chemin!

* * *

Tu te répètes à toi-même : « Il est manifeste que la lumière de la résurrection ne m'a pas traversé l'âme et le cœur, puisque tant de faiblesses m'échappent encore! »

Mais le rayonnement de la Résurrection pourrait-il être entravé par la présence du mal en toi?

Comme s'il te fallait devenir irréprochable pour être visité par cette force libératrice qui, un jour, a soulevé la pierre du tombeau et a arraché à la mort la proie qu'elle détenait!

Comme s'il te fallait être devenu toi-même lumière indéfectible pour avoir part à la clarté nouvelle!

Il importe de ne pas confondre les lois de l'Ordre nouveau avec celles du monde ancien.

Tu dois passer dans un univers où moins tu offres, plus tu reçois!

La gloire chrétienne doit confondre ce qui vient de l'homme pour manifester ce qu'est Dieu.

Déstabilisante nouvelle : l'homme ne peut être transfiguré qu'en perdant sa propre lumière!

Tu te questionnes : « Qu'en sera-t-il de moi, suis-je de la trempe des martyrs et des saints ?... »

À cette question, tu es en droit de répondre par l'affirmative si, en toi, une aspiration t'arrache au réel.

Tu fais partie du cortège des privilégiés dans la mesure où tu éprouves de l'ennui dans ces formes d'activités où tant d'autres trouvent satisfaction et rassasiement.

Au temps des persécutions romaines, nombre de martyrs se sont terrés dans les catacombes pour éviter l'hécatombe.

Mais ils n'en ont pas été déclarés moins martyrs pour autant !

Quant à l'admirable Jeanne d'Arc, elle disait préférer tous les supplices du monde plutôt que celui du bûcher qui l'attendait.

Cette faiblesse avouée respire l'évangile des pauvres et des petits.

Ta propre faiblesse y trouve aussi plus de réconfort que dans la fermeté de ces géants de la foi qui, semblables à des colonnes de granit, n'ont jamais tremblé devant la croix qui leur était imposée.

Ce qui t'invite à beaucoup de réserve dans les jugements que tu portes sur autrui et sur toi-même.

Une multitude d'êtres frivoles ont su faire preuve d'un remarquable héroïsme quand est venu pour eux le moment de traverser l'épreuve.

Comme s'il leur avait fallu être confrontés à un défi supérieur pour qu'apparaisse la richesse d'âme qui les habitait à leur insu.

* * *

Celui qui n'est pas appelé à faire une expérience de vie ne souffre aucunement de la léthargie dont il est le prisonnier.

Il ne se pose aucune question à savoir si, pour lui, les choses pourraient être autrement.

Il est satisfait de ce qui répond à ses besoins du moment.

Il n'est pas éveillé par le désir de déboucher dans d'autres espaces.

Il ne souffre pas de sa médiocrité : il la perçoit, au contraire, comme la norme à laquelle tous auraient avantage à se soumettre : « Voici tant d'années que je te sers... » (Lc 15, 29).

La plus grande des tristesses est celle d'un individu qui demeure insensible à son propre manque à être, et qui mise uniquement sur des résultats auxquels il peut parvenir par sa propre industrie.

Quel incompréhensible paradoxe : gémir sur ton manque à être est la preuve que tu as été atteint par le rayonnement de la lumière.

Alors, manque seulement la conscience claire de ce qui t'habite.

À l'inverse, te satisfaire de ce que tu peux construire manifeste que tu es prisonnier de l'éphémère et du morcelé.

Souffrir de ne pas être accompli est la marque distinctive de ceux qui sont invités à resplendir.

Un jour, tu t'éveilles avec une vision du monde et des personnes qui n'est plus la tienne.

Tu t'étonnes alors de la présence en toi d'une transformation qui s'est opérée sans toi !

Tu te retrouves dans un état où l'enfance et la transcendance ont un seul et même visage, dans un espace où le simple et le sublime circulent la main dans la main.

Dans l'avènement de ce matin, tu percevras comme une prison cet état dans lequel tu acceptes aujourd'hui de vivre sans même t'interroger.

* * *

Tu hésites à te laisser immerger dans le bonheur, conscient que tu es de l'avoir si mal mérité, comme s'il ne faisait pas déjà partie de ton héritage, comme s'il pouvait y avoir des conditions à son irruption en toi!

La fête de l'Amour ne peut pas être le couronnement de ta fidélité!

Le baiser de l'Amour est la part exclusive de qui s'en sait indigne.

Le feu de l'Amour ne brûle que pour la personne aimée, peu importe qu'elle soit féconde ou endettée.

Mais quel saut!

Tu doutes de Dieu, tu doutes des autres et tu doutes de toi-même, jusqu'à ce qu'une évidence vienne te persuader que tu es invité à franchir un seuil jusque-là interdit.

Quelle joie si aujourd'hui tu pouvais, toi aussi, t'entendre dire, comme ce fut le cas pour Bartimée: «Confiance, il t'appelle!» (Mc 10, 49).

Comment serait-il possible que l'Infiniment grand puisse être attentif à ta personne alors que des êtres aussi pauvres que toi ne daignent même pas prêter attention à ta présence?

Mais, parce que tu es dans l'univers de l'Amour, la première place pour toi n'est pas un privilège, mais un droit, non un droit acquis, mais un droit qui te revient par hérédité.

Tu diras : « N'y a-t-il pas témérité à croire que Celui qui me dépasse infiniment puisse porter une plus grande attention à ma personne qu'à tout le reste de l'univers ? »

Comment croire, en effet, qu'à ses yeux tu puisses être centre et accomplissement de toutes choses et en tout premier lieu de lui-même, comme ce qui se vit dans tout amour humain qui, s'il est authentique, perçoit l'infini dans l'autre, si fragile et imparfait puisse-t-il être ?

* * *

La lumière qu'inconsciemment tu attends n'est pas celle qui éclaire ton chemin, mais celle qui met ton intérieur en feu.

En entendant parler de la clarté nouvelle, tu l'avais attendue à la manière d'un bienfait qui t'advient, mais son avènement obéit à des lois qui sont étrangères à celles qui régissent ton quotidien.

La lumière qui peut illuminer ton chemin est celle qui monte du dedans, comme la sève qui émane des racines.

La lumière qui te rendra à toi-même n'est pas celle qui fait de toi une machine à penser, mais celle qui peut te donner l'apparence d'un fruit parvenu à sa pleine maturité, à l'image du sage, envahi de paix, lui qui a appris à vivre avec lui-même, à puiser au dedans ce que tous attendent du dehors.

C'est dire que ce que tu peux concevoir toi-même comme accomplissement ne saura toujours que te décevoir.

Et, dans la mesure où tu éprouves une satisfaction en obtenant ce que tu avais désiré, tu as en cela la révélation que ton intérieur n'est pas construit pour pénétrer au-delà du seuil.

Dès lors, il n'existe plus pour toi que la valeur de tes labours et l'envergure de tes greniers : insondable désolation, encore qu'inconsciente chez toi !

Insensible à la douleur de l'absence, comment pourrais-tu aspirer à la béatitude de la Présence ?

Le plus grand de tous les drames est celui d'une personne qui, à l'image de l'animal, demeure enfermée dans son seul instinct.

* * *

Les lois du Royaume ont quelque chose d'inacceptable :

pas de naissance sans souffrance ;

pas d'épanouissement sans dépassement ;

pas d'accomplissement sans renoncement.

Te refuser à cette logique, c'est te convaincre de tiédeur !

Tu ne peux avoir part au meilleur, sans avoir à sacrifier l'accessoire.

Tout ceci t'éveille au fait qu'il y aurait, cachée en toi, une réalité plus grande que toi !

Ta soif ne te laisse aucun repos.

Tu es aux prises avec une inexplicable nostalgie qui refait continuellement surface.

Tes heures les plus sereines ne sont jamais bien éloignées de tes larmes.

C'est de ton harmonie intérieure que tu t'ennuies, comme si tu en avais déjà fait l'expérience sans l'avoir jamais vécue pourtant.

* * *

Le jour vient où il te faudra laisser tomber tout ce que tu avais patiemment construit.

C'est à cette heure de ta vie qu'il devient désastreux pour toi de miser sur ta fidélité.

Quel mystère : ce que tu avais toujours estimé comme le plus indispensable, risque de se convertir alors en un obstacle insurmontable, comme il en a été de la loi rigoureusement observée par les scribes et les pharisiens.

Aussi longtemps que perdurent tes préparatifs et tes effectifs, l'expérience du grand bouleversement te demeure inaccessible.

Il te faudra subir l'invasion de l'Amour pour en arriver à mépriser ainsi ce que tu avais toujours estimé être la part la plus précieuse de ton capital spirituel !

Quand surgira pour toi l'heure du grand changement, il te faudra consentir à couper tes liens avec le passé.

D'ailleurs, sans ton consentement, l'inutile et l'accessoire te seront alors arrachés.

Comment accepter d'entrer dans ce chemin inconnu si tu n'as pas la certitude au cœur - je ne dis pas l'évidence, mais la certitude au cœur - qu'une autre force que la tienne sera là pour accomplir ce qui dépasse si manifestement tes possibilités?

Tu ne peux même pas te disposer à cette sorte de révolution, mais lorsque tu seras tenté de dire à Dieu que servir fidèlement dans l'obéissance ne te suffit plus, et lorsque tu oseras exiger de lui qu'il vienne embrasser avec joie le pécheur que tu es, c'est que sa grâce t'aura disposé le cœur au miracle.

* * *

Examine-toi maintenant pour savoir si le merveilleux et le spectaculaire ne t'interpelleraient pas davantage que la réconfortante chaleur de la Présence.

Parce que tu es dans l'Amour, le dernier mot de ta gloire n'est pas situé dans l'apothéose, mais dans le recueillement.

Toucher l'essentiel c'est imposer silence à toute parole et à toute description.

Vivre avec intensité met fin à toute spéculation.

Un seul acte de vie tient avantageusement lieu de toute parole et de toute lumière.

Le besoin du grandiose est la manifestation d'une immaturité.

Le signe qui annonce le mystère est éblouissant: c'est le Sinaï, c'est le Thabor!

Le mystère, lui, lorsqu'il apparaît, c'est toujours avec une infinie discrétion: «Après l'ouragan et le feu, le bruit d'une brise légère» (1 R 19, 12).

La lumière de l'Amour n'aveugle jamais: elle tamise son rayonnement.

* * *

Le plus tragique n'est pas le rejet qui menace de t'anéantir, mais la tentation de te définir par ce que tu peux accomplir.

Une tentation te guette : éblouir si possible afin d'être mieux reconnu, mieux apprécié !

Ce ne sont pas tes œuvres les plus admirables qui témoignent de ta vérité.

C'est ton imperturbable sérénité qui peut intriguer tes proches avec le plus d'insistance.

Les témoins de ton vécu percevront bien qu'une telle stabilité ne peut venir de tes acquis mais uniquement de la profondeur de ton puits.

À cette heure, tous bénéficieront de ton rayonnement, même si aucun ne saura identifier l'origine du bienfait de ton influence sur eux.

Tous ceux-là n'éprouveront pas le besoin de connaître le pourquoi de ce que tu leur apportes et qui leur donne de vivre ainsi !

Les foules qui écoutaient le Christ ne comprenaient rien au langage en paraboles qu'il leur tenait : c'est de son mystère qu'elles se nourrissaient !

* * *

En quoi peut bien consister cette «Jérusalem Nouvelle» (Ap 21, 1) dont parle Jean, le disciple ?

Le miracle est qu'aujourd'hui même tu portes en toi ta propre «Jérusalem Nouvelle», une Jérusalem parfaitement assortie à tes couleurs.

Crois-le, ton rêve ne relève pas de l'imaginaire, mais il se dégage de la richesse insoupçonnée de ton humus.

Dès aujourd'hui, tu es secrètement informé par cela même que tu vivras durant l'éternité.

Si tu étais plus attentif à ce qui a cours présentement au fond de toi, tu pourrais te dispenser de toute description du monde à venir puisée en dehors de toi, et te dispenser de l'Écriture elle-même.

La difficulté pour toi est que la «connaissance» dans le Royaume est exactement à l'opposé de celle dont tu fais l'expérience dans ta trajectoire humaine.

C'est par leurs traits extérieurs, par leur langage et leurs actes, que tu tentes de parvenir si possible jusqu'au mystère des personnes que tu rencontres.

Dans l'éternité, parce que tu connaîtras à la manière même de Dieu, c'est «par l'intérieur» manifesté d'abord que tu pourras avoir accès aux traits extérieurs des personnes qui t'apparaîtront alors nimbés de la gloire du dedans.

Tu as une image de ce miracle dans la rencontre amoureuse où chacune des deux personnes est bouleversée soudain par une réalité inexplicable qu'elle perçoit dans l'autre.

À la suite de cet éblouissement, la personne aimée prend une valeur qui touche à l'infini, et chacun de ses gestes s'habille d'une harmonie qui s'apparente au divin.

Imagine maintenant ce qu'il adviendra de toi quand le mystère infini de l'Amour lui-même arrêtera sur toi son regard !

Pour toi, il est ardu de concevoir l'éternité bienheureuse comme un lieu absolument secret, un espace de pure intimité où plus rien n'existe sinon la Personne qui aime et celle qui est aimée.

Dans l'amour, tout n'est que pudeur, discrétion et secret jalousement gardé !

Une description comme celle que Jean te donne dans l'Apocalypse n'est pas là pour retenir ton attention captive, mais pour t'aider à regagner tes enceintes de lumière.

Tu te seras attardé en vain à cette description de l'apôtre si l'irradiation de ton visage ne vient pas jeter dans l'ombre tout ce déploiement que décrit l'auteur sacré.

De toute cette imposante mise en scène, tu es, toi, le centre unique et l'explication dernière !

La lumière de ta présence surpasse cette splendeur évoquée, qui n'est rien d'autre qu'une splendeur « ajoutée » !

La Cité bienheureuse ne serait plus que désolation, tristesse et obscurité si tu n'étais pas là pour lui donner lumière et chaleur, vie et résurrection.

Avant l'arrivée de l'enfant perdu, la maison était embuée d'un nuage de tristesse, car il n'y avait que le blé du grand frère pour y faire circuler la vie.

Le cœur du père souffrait d'une absence.

Il suffit que l'insolvable apparaisse pour que tout s'illumine !

« Pure danse de l'imaginaire » que ce beau discours, diras-tu, ou bien « essence même de ce qui t'attend ?... »

Seule ta présence peut remplir le Paradis !

N'argumente pas : tu es ici au Royaume de l'Amour et, dans l'amour, il n'existe rien d'autre que la personne aimée.

Avec la présence de l'élu, peut-il manquer encore quelque chose pour toucher le bonheur et le rassasiement?

Si tu es tenté d'esquisser un sourire ou de lever les épaules, c'est dans la mesure où tu as un lien de parenté avec le fils aîné de la parabole!...

Si cette comparaison te désole, tu as en cela la preuve que là n'est pas ton milieu.

Bien lire ce texte de l'Apocalypse, c'est comprendre qu'il ne parle que de toi!

Tu te fais alors la réflexion suivante: «Cette demeure dont Jean parle, mais c'est la mienne!»

Et, mieux encore: «Cette demeure c'est moi!»

Tu dois en arriver à dire: «Dans la Cité, je serai seul, éternellement, avec mon Dieu.»

Tu ajoutes: «Mais qu'adviendra-t-il de tous les autres, si Dieu se doit alors d'être tout entier à moi?...»

Prends-tu conscience que ta réflexion, ici encore, se rapproche de la répartie de celui qui, sur le seuil, s'offusquait de ce que l'on ne s'occupait que de son frère, et que toute la maisonnée n'avait d'attention que pour l'indigent qui était à l'origine de cette kermesse que les labours de l'obéissant n'avaient jamais été capables de faire lever?

Quand tu admires deux personnes qui s'aiment, jamais ne s'éveille en toi le désir de te joindre à elles pour partager ou pour intensifier leur communion, en même temps que tu éprouves une grande satisfaction à les contempler ainsi, nageant dans le bonheur.

De même, la béatitude des élus ne sera jamais si grande qu'au moment où ta plongée au cœur de Dieu sera profonde au point de te les faire oublier tous!

C'est la véhémence de ton élan vers le sein du Père qui fera leur joie, et c'est en les oubliant pour ne t'occuper plus que de l'Unique nécessaire que tu pourras les y entraîner à ta suite.

Si ce scénario t'apparaît comme invraisemblable ou bien outrageusement prétentieux, c'est dans la mesure où tu n'as pas eu accès à l'univers de la charité, puisque la charité n'est rien d'autre que cela: communion, intimité où rien n'est partagé avec ceux du dehors, exclusion de tout regard étranger, monde absolument fermé, «Fontaine scellée» (Ct 4, 12).

Comme il serait triste de passer ton existence à la porte de la demeure en réclamant que l'on cesse d'y danser pour prêter attention à tes greniers remplis!

C'est toute l'attention de Dieu, et l'exclusivité de son attention qui est ta part d'héritage!

Ce que Jean écrit n'est pas seulement une image qui te parle de ce qui t'attend dans l'éternité, c'est une invitation à prendre plus vivement conscience du mystère qui se vit déjà en toi aujourd'hui.

Ce texte qui porte sur la Jérusalem Nouvelle, il convient donc de l'oublier pour accorder toute ton attention à la luminosité de ton visage, puisque c'est lui et lui seul qui fait resplendir la Cité!

Souviens-toi, c'est l'arrivée d'un enfant perdu qui, un jour, a mis la maison en fête (Lc 11, 32).

* * *

L'évangile te parle d'abondance et d'eau vive qui jaillit jusque dans les cieux (Jn 7, 38) !

Comme s'il ignorait que tu n'as jamais connu autre chose que l'indigence existentielle et la soif des eaux vives.

En effet, ton partage a consisté bien plus à souffrir de l'absence qu'à baigner dans l'abondance.

Et si, d'aventure, il t'a été donné parfois de goûter à une forme de rassasiement, tu savais bien que l'instant d'après ton bonheur pouvait se retrouver en état de panne sèche.

Le vide ressenti alors allait se révéler d'autant plus douloureux que, durant la minute précédente, tu avais pu expérimenter une parcelle de satisfaction.

Mieux aurait valu ne jamais connaître le bonheur que d'en faire une brève expérience pour te retrouver ensuite privé de lui !

C'est dans la mesure où tu es davantage éveillé au bonheur que son absence te devient pénible, parfois jusqu'à l'intolérable !

Le plus étonnant est que la loi qui vaut pour le bonheur vaut aussi pour les malheurs qui jalonnent tes parcours.

Voici, à titre d'exemple, l'histoire d'une enfant qui était née avec une déficience visuelle assez prononcée.

Elle avait grandi au milieu d'autres enfants en s'imaginant que tous apercevaient les choses exactement comme elle.

À l'école, on ne désirait pas l'avoir comme partenaire de jeux parce qu'on la trouvait gauche et lente.

En classe, comme elle était dans l'impossibilité de lire au tableau noir, l'institutrice lui répétait qu'elle était paresseuse et refusait d'étudier.

Quand sa mère l'envoyait à l'épicerie du village, l'enfant, pour éviter de perdre son chemin, laissait glisser son soulier droit entre le bord de l'asphalte et le gravier.

C'est seulement lorsqu'elle eut quatorze ans que l'on se rendit compte que l'enfant était pratiquement aveugle.

Et c'est à ce moment-là que, adolescente, elle a commencé à souffrir de la déficience qui l'accablait depuis sa naissance.

Elle apprenait en effet que les autres étaient mieux lotis qu'elle.

Elle était malheureuse, non pas d'abord à cause de son handicap lui-même (elle l'avait supporté durant des années sans en gémir!), mais parce que maintenant elle avait conscience que les autres étaient mieux favorisés qu'elle.

Renversante conclusion: tu souffres bien davantage en constatant que d'autres sont mieux nantis que toi, que du mal réel qui peut t'accabler!

Cette longue histoire, pour t'aider à comprendre la réaction qui est la tienne face à la vie en abondance dont te parle l'évangile.

Il est impossible pour toi d'établir une comparaison entre ton état actuel et ce qui t'est promis dans les cieux.

Le jour où tu entreras dans la gloire, tu constateras à quel point ta capacité de bonheur avait pu dépasser tout ce que tu avais pu expérimenter sur terre car, à ce moment-là, tu pourras comparer les deux réalités après avoir vécu chacune d'elles tour à tour, ce qui n'est pas le cas pour toi aujourd'hui.

* * *

De façon assez étrange, une valeur de vie, comme l'amour désintéressé par exemple, ne perturbe guère le programme des grands de la terre, le tien aussi peut-être?...

Le monde est surpeuplé de générosités ardentes, avides d'intervenir en tout et partout, si désireuses de mettre de l'ordre dans les rouages disloqués des nations en guerre, qu'elles en viennent à ne plus avoir de temps disponible pour accueillir la vie en elles et s'y reposer.

Comme si une rivière à sec pouvait encore abreuver tout ce qui est sur son parcours!

Pour ces phalanges, toujours sur le qui-vive, se laisser aimer semble bien être une attitude qui relève du plus pur angélisme.

D'un tel acte, qui en est encore capable, qui en nourrit le rêve, qui en fait sa priorité?

L'instauration de ton harmonie intérieure est plus urgente que le salut du monde!

Te laisser introduire dans l'harmonie pleine est le plus indispensable de tous les services que tu peux rendre à tes semblables.

* * *

Entre mille facettes de la relation amoureuse, attarde-toi un instant à une seule de ses composantes.

Tout amour humain est fondamentalement virginal, en ce sens qu'il se nourrit de ce qu'il ne connaît pas de l'autre.

Une personne en amour est incapable d'expliquer la raison de son état.

Toutes les raisons qu'elle pourra fournir, toutes les valeurs qu'elle pourra évoquer et décrire, tu les connais aussi très bien, mais tu n'es pas bouleversé comme elle peut l'être en présence de cet être qui l'éblouit.

C'est qu'elle est nourrie par le mystère qui vit au cœur de la personne aimée, une valeur qui échappe à toute conceptualisation et à toute analyse.

Or, ce qui se vit dans l'expérience affective est le schéma classique de l'expérience spirituelle.

Entrer dans le Royaume, c'est être régi par des lois qui te sont inconnues.

Entrer dans le Royaume donc, c'est être rassasié par ce que tu ignores, comme l'amoureux qui n'est pas conscient que le meilleur de son bonheur lui vient non de ce qu'il est aimé, mais de ce qu'il est mis en contact avec lui-même, grâce à l'intensité du regard qui est fixé sur lui.

Plus mystérieusement encore, si dans ta vie de chaque jour, tu es continuellement tiraillé par le besoin de savoir, ici, jamais tu ne sentiras le besoin de connaître la raison pour laquelle tu peux vivre avec une aussi grande intensité.

Ainsi, dans l'ordre spirituel aussi bien que dans l'ordre affectif, c'est seulement ce qui t'est «inaccessible» qui est à même de te rassasier et de te béatifier!

Seule l'onction qui te remplira le cœur et l'âme pourra te laisser entendre quelque chose de la beauté des traits de l'Invisible.

À la noce, tous sont invités, les mauvais, dit l'évangile, comme les bons.

Accepteras-tu d'être accueilli en étant compté au nombre des «mauvais»?

Si oui, tu donnes la preuve que tu as reconnu le visage de l'Amour.

Alors, tu es sauvé!

Aspires-tu à n'avoir rien à te reprocher au moment de cette rencontre?

Si oui, tu mets en doute ce qui est le fond même de Dieu, son absolue gratuité.

Il faudra que soient consumées tes œuvres bonnes pour que tu puisses franchir le seuil de cette demeure où rien ne peut se mériter.

Tu ne peux tomber dans les bras de l'Amour avec quoi que ce soit qui viendrait s'ajouter à ton titre d'enfant bien-aimé!

Rien ne peut entrer en Paradis que toi-même et toi seul, dépouillé de toute gangue, libéré de toute dorure.

Il te faut être allégé de tout pour être immergé dans le Tout.

«Alors, peu importe ma conduite, diras-tu, puisque Dieu accueille les mauvais comme les bons!»

Tu as parfaitement raison, mais sache que connaître l'Amour, c'est avoir une invincible répugnance à lui être dissemblable.

Connaître l'Amour, c'est devenir incapable du moindre geste qui serait en contradiction avec son harmonie et sa beauté.

En même temps que connaître l'Amour, c'est te livrer à lui avec la certitude d'être accueilli quelle que soit ta condition.

Et, hésiter à t'en approcher parce que tu t'estimes indigne de le faire, ce n'est pas seulement refuser de croire ce qu'il t'a révélé de lui, mais renier ce qu'il est !

La leçon est difficile, car il te faut entrer dans un Royaume où l'endetté est promu roi, et l'irréprochable réduit à l'état de valet.

* * *

Quand le sel s'affadit (Mt 5, 13-19), le tragique n'est pas qu'il ait perdu sa force, mais que, l'ayant perdue, il soit incapable de la retrouver !

Et le cœur du drame est qu'il ne souffre pas de cet état où, tout occupé à accumuler des réserves pour sa survie, il s'enlise dans la mort !

Ce qui caractérise le tiède, en effet, c'est d'être à l'aise dans l'état de stagnation qui est sien, et de ne pas soupçonner qu'il pourrait y avoir quelque chose à changer dans sa conduite : « Je ne suis pas comme le reste des hommes... » (Lc 18, 11).

Un vivant, au contraire, est celui qui, inondé de lumière, ressent un feu qui le dévore dès qu'il s'éloigne de sa source.

Alors tu t'interroges : « Suis-je un vivant, suis-je un tiède ? »

Évite de poser cette question à celui qui est tiède, car il ignore ce en quoi vivre pourrait consister.

Il ne peut absolument pas sortir de son univers à lui puisque, à ses yeux, il n'y a qu'un seul univers, le sien !

Tu as commis l'erreur de confondre le tiède avec le paresseux, celui qui est négligent, celui qui remet à demain ce qu'il importerait de faire aujourd'hui.

À l'extrême opposé de cette vision, le tiède (selon l'évangile) est celui qui est persuadé d'être un modèle à imiter, un être effectivement sans reproche et qui, en conséquence, s'estime supérieur aux autres.

Le tiède : le grand frère de la parabole, le pharisien priant dans le temple, les ouvriers de la première heure, etc., tous ces gens dont la conduite édifiante devient une monnaie au moyen de laquelle ils tentent d'acheter l'amour absolument gratuit de Dieu : « Je te rends grâce de n'être pas comme le reste des hommes » (Lc 18, 11).

Difficile vérité : le tiède est celui qui, par le don généreux de tout lui-même, en vient à nier l'absolue gratuité de l'Amour.

Aberrante conclusion : « schisme du dévouement », « hérésie de la générosité » !...

Le tiède retire plus de satisfaction à servir l'Amour qu'à se laisser vaincre par lui, et c'est là son drame !

Ainsi, le meilleur que tu accomplis devient parfois le plus redoutable des obstacles.

Tu as été témoin de la vie qui se termine avec la mort.

Un jour, une Vie est issue de la mort, et la mort n'a jamais pu reprendre ce qui lui avait échappé.

Tu as été visité par une expérience d'un autre ordre, et te voilà contraint d'abandonner tes chemins de toujours.

Il t'en coûte de renoncer à tes assises qui, loin d'aider la mystérieuse genèse qui s'opère en toi, te ferment au meilleur qui s'offre à toi.

Il y a cette réalité troublante, à savoir que ce que tu avais reçu de meilleur est ce qui sera le plus difficile à abandonner au moment où l'invitation te sera faite de franchir un autre seuil en direction d'un inconnu qui t'appelle à lui.

C'est l'histoire du juste qui priait devant l'autel : son jeûne a bel et bien été ce qui l'empêchait d'avoir accès au Dieu qu'il était venu rencontrer.

C'est l'histoire aussi du peuple élu qui, riche du sabbat rigoureusement observé, ne peut accepter qu'on vienne remettre cette valeur en question pour quelque motif que ce soit : « Il est intouchable, ce sabbat, car il vient de Dieu lui-même ! »

Enfin, c'est là surtout ton histoire à toi !

À l'heure du grand saut dans le vide, ce que préalablement tu auras reçu de plus précieux pourra facilement se transformer pour toi aussi en un obstacle majeur.

Ton cœur, affolé devant l'inconnu, s'agrippera alors à ce qu'il a toujours estimé être le meilleur.

Une prothèse pour aider ta jambe malade est utile jusqu'au jour où, la guérison étant survenue, cette aide temporaire se transforme en un fardeau qui entrave ta marche.

Aussi, quel abîme de différence entre le christianisme et une démarche d'ordre humain dans ce qu'elle peut avoir de plus noble et de plus riche, comme la quête de la perfection en Orient, par exemple !

Ici, la rigoureuse mise en application de techniques éprouvées a mission de conduire l'individu à l'ultime achèvement.

Dans l'évangile, au contraire, c'est précisément le résultat positif de tes efforts, comme la conduite irréprochable de l'observateur de la loi, et le blé ramassé dans l'obéissance par le grand frère qui menacent de t'interdire l'entrée du banquet !

Mais comme il est difficile de mesurer l'abîme qui sépare ces deux approches : on se laisse éblouir par une perfection d'ordre humain, celle du yogi – la plus parfaite de toutes celles qui existent dans le monde –, quitte à laisser dans l'ombre la perfection de l'Amour qui, avec joie, embrasse l'impur, l'indigne, le déchu !

À l'extrême opposé de ces performances auxquelles d'ailleurs seule une rare élite peut avoir accès, tes larmes amères, versées sur tes échecs, sont le combustible qui fait surgir la fête et sème la joie partout dans la demeure !

Ici, ce sont précisément tes tentatives ratées qui mettent en lumière la splendeur de Celui qui fait resplendir ton visage en l'embrassant.

La plus grande réussite de l'homme est de consentir à se laisser étreindre alors qu'il a tout gâché !

C'est la confession de ton indigence qui a mission de révéler au monde qu'une Présence est là, sur le seuil, pour te verser le vin de la joie !

Cela, tu le comprends, est incompatible avec la secrète satisfaction d'avoir réussi par toi-même.

* * *

Ton mystère n'est pas une réalité à conquérir, mais il devra se révéler à ton attention, et quand il surgira, ce sera sans ta coopération.

Le premier symptôme de sa levée en toi consistera en un vague sentiment de vide.

Suivra l'insupportable déchirure d'une absence.

Enfin, cette invasion de la vie devra s'imposer à toi, après avoir triomphé de tes résistances et de tes incompréhensions.

Le dernier mot de la démarche chrétienne consiste à assister à l'irruption en toi de ce que tu ne mérites pas de recevoir et de ce à quoi tu n'étais pas ouvert.

Vos cœurs sont lents à croire, disait le Maître!

À un cœur sans foi, une démarche de vie ne s'impose pas habituellement à première vue.

L'amour est venu instaurer des lois qui appartiennent à une autre forme de bienséance, et tu persistes à vivre comme si tu étais encore sous le régime de la loi.

L'enfance t'a été proposée comme modèle, et tu persistes à circuler en adulte.

Tu as été baigné dans les eaux de la grâce, et tu agis comme si tu n'avais pas été affranchi de la servitude.

Tu hésites à aller respirer au grand large, comme si quelqu'un t'y attendait pour sanctionner ton audace.

Tu as été libéré, mais tu te sens davantage en sécurité en faisant suivre tes chaînes anciennes, tout en protestant que tu aspires à la délivrance.

Après avoir toujours vécu parfaitement encadré par les lois de la famille et celles des convenances sociales, comment pourrais-tu imaginer l'existence d'un univers où ton cœur serait l'unique législateur?

Un monde où tout serait soumis à ton bon vouloir.

Un empire où le moindre de tes désirs pourrait devenir aussitôt réalité.

Un Royaume où il n'y aurait plus rien à conquérir, mais où il s'agirait pour toi de parvenir à la pleine satisfaction d'avoir été toi-même conquis.

Une terre qui serait si généreuse que le repos serait la seule activité pouvant conduire au cent pour un.

Seule la touche imperceptible d'un frémissement de vie au fond de toi sera en mesure de te rendre à toi-même.

Et, pour en être informé, il te faut être capable d'une exceptionnelle qualité d'attention à cet univers silencieux qui bouge en tes profondeurs.

Dès que tu en auras perçu les premiers échos, tu ne consentiras jamais plus à vivre en étant privé de ton harmonie.

Tu pourras alors te dispenser d'avoir à mendier dans le regard de ceux que tu rencontres, la confirmation du fait que tu es vivant et, alimenté désormais à ta propre source, tu les nourriras toi-même d'une manne qu'ils ne seront pas à même de reconnaître, mais qui les fera vivre à déborder.

Ils ne soupçonneront même pas qu'elle puisse leur être venue par toi.

L'expérience de l'amour transcende toute raison et toute convenance !

Il suffit que tes racines baignent dans une paix qui n'est pas l'œuvre de tes mains pour qu'au Ciel et sur la terre, tout s'habille d'harmonie et de lumière.

Dès lors, tu ne t'interroges plus à savoir si, pour toi, Dieu est rempli de bienveillance, ou s'il pourrait faire preuve d'indifférence à ton endroit.

Une seule réalité demeure : tu en as l'évidence, la qualité de la paix qui se vit au fond de toi est la substance même de ce Dieu dont tu avais si longtemps douté.

À l'heure de la lumière, la vérité s'impose : ton Dieu ne pouvait être autre chose que cette expérience qu'il te donnait de faire : le bouleversement de sa paix !

* * *

Tu n'as rien à apprendre : ni sur toi, ni sur les autres, ni sur Dieu lui-même !

Pour toi, apprendre signifie recevoir une lumière qui, te venant de ce qui est extérieur à toi, vient éclairer ton intelligence.

Mais ce n'est pas la lumière de ton intelligence qui a mission de t'introduire au cœur du mystère.

Le contact avec ton mystère ne peut s'établir par l'intermédiaire de tes facultés, mais uniquement par une « intelligence de vie », révélation impossible à verbaliser.

Ce n'est jamais toi qui prends l'initiative de t'orienter vers le mystère, c'est le mystère lui-même qui viendra t'éveiller à sa présence.

Dans l'avènement du mystère, c'est seulement une fois le travail accompli que tu pourras faire retour sur la transformation qui se sera accomplie en toi.

Une expérience de cette nature a pour effet de paralyser ton intelligence pratique.

Depuis toujours tu as été torturé par le besoin de savoir et d'expliquer, mais au moment où la vie te traverse, cet appétit s'éteint aussitôt en toi.

Le fait de comprendre n'est donc pas ce qui te permettra d'avancer, au contraire, c'est souvent là ce qui fait obstacle à un souffle qui, apparemment sans origine et sans destination, attend de toi l'autorisation de t'envahir.

Ton intelligence spéculative n'a aucun respect pour les enceintes sacrées; elle n'a aucune notion de ce que peut être l'adoration; elle se croit autorisée à tout conduire dans un domaine qui ne la regarde pas et qui la dépasse de royale façon.

C'est uniquement après avoir résisté jusqu'à la toute fin que, n'y pouvant plus, elle consentira à plier les genoux devant ce que, seul, le cœur était à même de vivre.

C'est seulement après que le cœur aura été envahi que l'intelligence pourra se permettre de jeter un regard sur le capital dont il a été enrichi, mais elle ne pourra jamais avoir accès à son contenu.

Ta froide raison devra accepter les ingérences du cœur pour pouvoir entrer elle-même dans la danse.

Il viendra, cet Esprit, et sa lumière chaude qui fera céder tes raideurs.

Décevante affirmation: l'accumulation des lumières ne te rapproche pas de l'objectif.

Depuis toujours, tu avais emmagasiné la lumière, comme si c'était elle qui avait mission d'ouvrir le chemin devant toi.

Vient cette heure où tu auras à te demander si, pour toi, il ne vaudrait pas mieux « vivre » que de « connaître ».

Assurément, tu aspires à vivre autant qu'à connaître, mais à tes yeux, la connaissance est l'outil qui doit te permettre de pénétrer jusqu'au cœur de la vie.

Or, il y a incompatibilité entre la lumière de ton intelligence et un frémissement de vie, tout comme il y a conflit entre la stricte observance de la loi et l'irruption du salut : « Voici tant d'années que je te sers, et jamais tu ne m'as donné un chevreau ! » (Lc 15, 29).

Chez toi, le besoin de tout savoir et de tout analyser ne pourra jamais être corrigé au moyen de tes interventions.

C'est par ton immersion dans un fleuve de vie que ce miracle pourra avoir cours en toi.

C'est en étant rassasié par une expérience plus enrichissante que tu pourras laisser tomber l'accessoire.

C'est en étant envahi par ce que tu n'auras ni recherché ni préparé que, sans effort, tu abandonneras tes labours et ton blé.

La plénitude à laquelle tu aspires, il te faudra y avoir accès à la manière de l'oiseau qui part au loin en obéissant à une invitation qui lui vient du dedans.

CHAPITRE 3

OUVERTURE

De tout temps, l'humanité a perçu au fond d'elle-même comme un indéfinissable appel à un contact avec le transcendant.

Elle entend bien cette voix qui lui parle, mais elle a du mal à décoder le langage qui lui est adressé.

Le message en question ne s'adresse ni à l'oreille, ni à l'intelligence.

Le signe qui te laisse entendre que cette voix t'a parlé est que, sans cause apparente, ton cœur s'est ému soudain.

Quand, sans pouvoir t'en expliquer le pourquoi, tu sens ton cœur revivre, c'est le signe que la Sagesse s'est rapprochée de toi.

Non seulement cette voix t'invite à la joie, mais son timbre lui-même a la résonance d'une célébration : c'est déjà ce qu'il t'est donné de vivre partiellement lorsque tu contemples le ciel étoilé.

La caractéristique d'un pas de danse n'est-elle pas l'aisance et l'harmonie ?

Quand cet insaisissable univers fait irruption en toi, il se substitue à tes manières de penser et d'agir.

Chez les peuples de la terre, par exemple, des façons de vivre qui ont eu cours durant des siècles sont finalement colligées en un recueil.

C'est après avoir subi l'épreuve du temps que ces coutumes prennent force de loi.

Mais dans ton cheminement spirituel, c'est l'inverse qui se produit.

Une loi nouvelle fait soudainement irruption dans tes chemins et elle exige aussitôt d'y prendre place, et pour toujours.

Cette législation vient avantageusement se substituer à tes habitudes que, bien volontiers, tu abandonnes alors, après les avoir pourtant si laborieusement acquises.

Sans ton consentement, et sans que tu y aies pris garde, un univers inconnu jusque-là a insensiblement gagné en toi, et jusqu'à tes racines.

Peine perdue de vouloir te protéger alors : l'invasion se produit non seulement de tous les côtés à la fois, mais surtout par l'intérieur, là où tu es sans défense : elle semble venir de plus profond que toi.

Une portion d'éternité entre alors dans le temps !

Ce monde nouveau était si éloigné de tes approches que son existence même était demeurée pour toi quelque chose d'inconcevable.

Ton incompréhension persistera aussi longtemps que ce jour ne t'aura pas envahi le cœur pour y faire fondre tes résistances et anéantir tes peurs.

Quand le grand frère de la parabole est revenu des champs et qu'il a surpris la maisonnée en fête, il était déjà trop tard !

Comment aurait-il pu changer quelque chose à l'ampleur de la célébration : non seulement s'était-elle répandue dans toutes les pièces de la maison, mais chaque personne en avait l'âme remplie.

Cependant, en dépit de son caractère irrévocable, ce retournement dans ta vie aura très rarement les couleurs du bouleversement qui a été celui de l'Apôtre aux portes de Damas.

C'est que cette Loi Nouvelle est là, en latence en toute personne.

C'est graduellement et imperceptiblement que ta détresse parviendra à en accepter l'abondance qui excédera toujours ton appétit.

L'humanité a mis tellement de millénaires avant de pouvoir sortir de l'ombre!

La chose est normale, car plus une œuvre est parfaite, plus sa gestation met du temps à s'accomplir.

Combien de temps mettras-tu encore avant d'oser le pas décisif en direction de la lumière?

On te l'a annoncé jadis sur la route d'Emmaüs: ton cœur est bien hésitant à soupçonner la présence du merveilleux et de l'inédit lorsqu'ils viennent te rejoindre sur le chemin.

C'est par une autre force que la tienne qu'il te faudra être introduit au cœur de ton propre mystère.

Un tel éveil ne s'effectue pas à coups d'efforts et de volonté!

Au dernier jour, tout ce qui aura été le fruit de tes semailles devra être jeté à la poubelle de l'éternité!

Il existe en effet un univers où le travail et l'effort n'acceptent pas d'être récompensés.

Aussi longtemps que tu travailles dans le but de parvenir à un résultat, tu demeures un simple ouvrier, et tu fais obstacle à l'irruption du miracle.

La seule façon d'accomplir ta tâche consiste à œuvrer uniquement parce que tu trouves en cela le meilleur de ton bonheur, non dans le but de parvenir à tes objectifs.

Aujourd'hui, il est triste pour toi d'accepter d'être un « serviteur inutile », et de devoir le demeurer toujours, mais au moment de la rencontre, tu feras tout ton possible pour cacher le blé que tu auras engrangé afin d'être tout à la joie de voir l'unique Beauté subsister dans la limpidité de son innocence.

Chaque fois qu'il t'arrivera de faire retour à la tristesse et aux larmes, une voix viendra te répéter que désormais, tu n'es plus appelé à labourer péniblement, mais à savourer le bon goût du pain nouveau, non pas celui que t'a procuré le blé que tu as amassé, mais celui d'un Amour qui te dispense de toutes les préparations, d'un Amour qui, à l'avance, a réservé pour toi le manteau du virginal et l'anneau d'or de la communion.

Il faut savoir qu'à ce moment-là, l'Amour te laissera la liberté de labourer et d'ensemencer tes terres, comme tu le faisais jadis, mais tu le feras désormais pour le seul plaisir que tu y trouves, et non plus par besoin de remplir tes greniers avec la secrète tentation d'acheter l'Amour.

Désormais, le premier objectif du blé ramassé n'est plus de te nourrir : ce blé, il vient de recevoir la vocation d'être généreusement gaspillé au cours d'une fête qui ignore toute mesure et toute prudence !

Aujourd'hui, tu inclines à cultiver ton champ afin d'avoir quelque chose à offrir, plutôt que de te disposer à accueillir.

C'est la raison pour laquelle tu demeures en état d'indigence.

La générosité vient donc de changer de visage : ouvrir tes mains, ouvrir ton cœur, ouvrir tout ton être, c'est là désormais pour toi la nouvelle manière d'être «généreux»!

Le défi est subtil : t'étudier à enrayer le mal, ou bien laisser le bien t'envahir pour occuper tout espace en toi!

Le choix s'impose : prêter attention à ton apparence, à ton capital acquis, ou bien demeurer attentif uniquement à la joie du père qui t'accueille.

Peux-tu te rendre le témoignage d'avoir confié à la Vie le soin de tout accomplir en toi, et de n'avoir rien à préparer toi-même?

As-tu reconnu la Sagesse et son admirable visage?

Il est en toi un espace virginal où rien ne peut entrer de ce que tu peux produire et accumuler.

Où est la fenêtre qui te permettra de contempler cette immensité silencieuse qui dort en toi?

Auras-tu un peu de compassion pour ton intérieur abandonné?

Qui viendra répandre un peu de baume sur cette nostalgie qui te tient?

Ton désir informulé est de te voir introduit dans cette partie de ton être que tu n'as jamais visitée.

Sommeille en toi l'obscur besoin de te voir embrassé en ce lieu précis de ton être que tu ignores encore.

C'est la substance de ce baiser qui te délivrera de tes idoles et te fera abandonner tes courses folles.

Pendant que tu t'agites autour des problèmes de l'heure, le plus grave de tous les drames a cours en toi!

Quand un jour nouveau émergera du fond de ta conscience, tu t'écrieras : «J'étais fait pour le bonheur et je l'ignorais! J'ai toujours vécu à la périphérie de mon être pendant que mon centre m'attendait. Il me fallait habiter mes propres espaces, non pas ceux où je pouvais entasser mes acquis, mais ceux où était déjà engrangé le plus beau de la moisson du Père, à savoir mon cœur d'enfant malade d'égoïsme et d'ingratitude.

J'étais ouvert à tout autre combat que le mien.

J'ai livré une lutte épuisante et sans fruit!»

* * *

C'est du virginal qu'émerge l'indépassable.

C'est dans l'ombre que s'enfante le sublime.

Une œuvre qui s'impose de façon universelle est rarement le résultat d'une collaboration: l'*Hymne à la joie* a été l'œuvre d'un génie solitaire.

De même, la *Divine Comédie* de Dante, ou la *Joconde* de Vinci.

À l'encontre de cette loi incontournable, le bolchévisme a tenté de noyer l'individu dans la masse: «Qu'au profit de l'État disparaisse toute singularité!»

L'Écriture peut sembler vouloir t'orienter sur la théorie de Marx en disant: «Ils ne feront plus qu'un» (Gn 2, 24).

Mais, si tu n'es pas dans la charité, disparaître au profit de l'autre c'est t'anéantir sans plus.

Par contre, à l'intérieur de l'amour, un changement radical de perspectives s'opère: ici, en effet, plus tu vis en communion profonde avec ton semblable, plus tu éprouves de bonheur à oublier ce qui te caractérise pour ne plus accorder d'attention qu'à la lumière qui émane du cœur de l'autre!

Dans ce cas, te perdre devient la plus enrichissante des expériences!

Dans la mesure où tu t'approches de la personne aimée, tes couleurs propres perdent de leur luminescence, et c'est alors que, paradoxalement, elles apparaissent en pleine gloire!

Comme si le meilleur de toi avait besoin de ton inattention pour vivre et resplendir.

Ta gloire est pour l'autre, elle ne t'appartient pas, et t'en nourrir serait perdre la personne aimée et entrer toi-même dans la mort!

Mieux encore, bien que cela semble en contradiction flagrante avec l'amour du prochain, plus tu intensifies tes liens avec une seule personne, plus tu deviens indifférent à l'approbation de l'ensemble.

C'est à partir de la profondeur et de l'intensité de ta rencontre avec un seul individu que tu peux te percevoir comme démarqué par rapport à la multitude.

Sans l'avoir recherché et sans y tenir, te voilà installé comme sur un lampadaire et exposé à une inconditionnelle admiration!

CHAPITRE 4

PRISONNIER

Pour toi, le normal ne sera toujours qu'une prison.

Aussi longtemps que tu demeures à l'intérieur du combat de l'homme, la liberté consiste pour toi en l'affranchissement de tes entraves.

Mais dans le combat de l'Esprit, il s'agit moins de t'évader de ta prison que d'apprendre à la décorer de manière à ce qu'elle devienne un lieu où il fait bon demeurer.

Le jaillissement de l'Esprit n'a rien à voir avec ton vouloir, il n'a que faire de ta vertu qui, elle, parvient à ses objectifs à coups d'efforts et de générosité.

L'Esprit, lui, sourd du fond de l'être, incoercible et triomphant!

Ton vouloir humain est à l'image d'un engin qui renverse les obstacles pour parvenir à ses fins.

Le jaillissement de l'amour, lui, devant l'impasse, invente des solutions miracles!

En se jouant, il avance parmi les obstacles et fait de son combat lui-même le meilleur de sa joie!

Puis arrive ce prodige où l'harmonie et la beauté des gestes ainsi posés sont en elles-mêmes plus riches de satisfaction et de fécondité que l'acte final vers lequel il tend.

Un désordre est venu disloquer tes rouages.

Mais c'est par la meilleure partie de toi-même que tu es dévoré, et c'est en cela que tu te distingues du tiède et du satisfait.

Tu te sens traqué dès que tu te refuses à vivre au-delà du normal et du conventionnel.

Tu es devenu incapable de te mentir à toi-même!

Et sache que, même si tu demeures inconscient du drame qui se joue au fond de toi, ta dignité n'en est en rien diminuée.

Ce n'est pas le vide et le désarroi qui te poussent sur ces routes où, comme l'enfant perdu de la parabole, tu risques de courir en vain.

C'est une soif d'infini qui te torture et c'est cette étrange maladie qui fait de toi un être en parfaite santé.

Tu es impuissant à te guérir de ce mal que tu portes en toi.

Tu es en gestation de toi-même et ton inconfort est le sceau de ta vitalité.

Quelle plénitude sera la tienne quand, d'un geste de la main, tu pourras faire surgir ce qui est indispensable à ta survie!

Remarque que

si tu dois cultiver la terre pour qu'elle te nourrisse;

si elle résiste à te ravitailler en surabondance;

si les événements se concertent pour te priver de ce que tu réclames;

si tes chemins sont semés de tant d'embûches,

ce n'est pas sans raison, mais parce que la vie te place dans l'obligation d'engendrer toi-même ce dont tu peux avoir besoin, plutôt que de le recevoir paresseusement, comme si tu étais incapable d'enfanter ce qui est nécessaire à ta subsistance. Car il est écrit : « Des fleuves d'eau vive jailliront de son sein » (Jn 7, 38).

Tu t'éveilles ainsi à une forme de fécondité en vertu de laquelle tu pourras désormais tirer l'eau de ton propre puits : satisfaction souveraine !

* * *

Tu es tributaire d'une loi bien étrange.

En effet, plus tu t'efforces de vivre en conformité avec les lignes pures de ton profil intérieur, plus ce qui te distingue comme individu a tendance à disparaître dans la lumière de l'essentielle Beauté.

Ce que vient confirmer un amour humain où les deux partenaires aspirent à ce que disparaissent toutes leurs singularités pour parvenir si possible à une forme d'unité si parfaite qu'ils pourront devenir un seul être, « une seule chair ».

Dans l'ordre affectif, il faut être attentif au fait que c'est l'amour qui conduit à un tel résultat, celui où perdre ce qui te distingue aboutit au plus grand de tous les bonheurs.

Dans une expérience de cette nature, ce qui te différencie comme individu n'est là que pour disparaître dans l'apothéose du bonheur.

Dès que tu es reconnu par l'amour, tu peux te dispenser de ce qui servait jusque-là à mettre ta singularité en lumière.

Avoir accès à ton centre, c'est reléguer dans l'ombre tous tes accidents.

Dès lors, l'unique caractéristique qui peut encore subsister chez toi est celle de ton immersion dans l'harmonie.

Avec cette paradoxale conclusion : plus tu es fidèle à ta grâce particulière, moins tu sens le besoin d'émerger au-dessus de ceux qui t'entourent.

Mystère : aller jusqu'au bout de ce qui te distingue des autres, c'est perdre tout ce qui te démarque par rapport à chacun d'eux.

C'est un drame de perdre ton identité, d'en arriver à n'avoir plus rien qui te distingue de la multitude.

Dans la charité, c'est là précisément que se situent le sommet du bonheur et le dernier échelon de tout accomplissement.

* * *

Lorsqu'un ami t'invite à souper, les mets qu'il te présente sont le symbole de ta personne qui est pour lui nourriture substantielle.

Il a besoin du support matériel du repas dans la mesure où il est incapable de vivre la rencontre au seul niveau spirituel, là où s'engendre la joie parfaite.

À Béthanie, Marthe s'affaire à préparer la table.

Marie, elle, est toute à l'essentiel de la rencontre, et ce n'est qu'après avoir été plongée dans un bain de communion qu'elle pensera à préparer la table.

Et, à ce moment-là, les aliments seront moins ce qui refait les forces, que le symbole de l'intensité de vie qui a circulé entre elle et son Invité.

Avec ce miracle que la dimension spirituelle, intensément vécue, confère aux aliments une insurpassable saveur !

Pour Marthe, la préparation de la table est le signe de la charité : « J'avais faim, et vous m'avez nourri » (Mt 25, 35), mais elle semble ignorer que, chez le Voyageur de passage, il pouvait y avoir une plus grande qualité de faim à assouvir.

Son empressement se transforme alors en obstacle pour l'accomplissement du meilleur.

* * *

Quand tu souffres de solitude, c'est que tu attends de l'autre qu'il vienne remplir en toi la place que tu as oublié d'occuper toi-même.

Dans une relation encore mal purifiée, tu approches ton semblable pour ton profit personnel, tandis que dans la communion parfaite, tu es là uniquement pour le bonheur de mettre l'autre en lumière.

Et de le mettre ainsi au monde est une expérience si enrichissante qu'elle dépasse tous les possibles bonheurs auxquels tu pourrais rêver.

Il te faut devenir « enfanteur » d'identité, créateur de liberté et pourvoyeur d'infini !

Qui pourra comprendre ?...

Au niveau de la charité parfaite, le désir, le baiser et l'étreinte elle-même, d'outils qu'ils étaient au départ au profit de la rencontre, se convertissent en obstacles à une forme supérieure de communion.

Quel saut dans ce qui te semble irréel et désincarné !

L'amour passion a besoin de saisir et de retenir.

L'amour d'amitié admire et s'émerveille, sans plus : ici, aucun vestige de retour sur soi, aucun besoin à satisfaire.

Dans un amour purifié, la séparation et la distance ne menacent en rien la vitalité du lien.

La communion, quand elle est vécue au niveau des racines, peut subsister sans la présence du visage de l'autre à contempler.

L'affection et les émotions portent atteinte à la profondeur et surtout à la limpidité du contact : « Ne me touche pas ! » (Jn 20, 17), disait le Ressuscité à Marie qui, dans sa joie, désirait lui embrasser les pieds !

Cela illustre bien cette parole de Kierkegaard, étonnante de profondeur : l'absolu de la communion est dans la distance infinie !

* * *

Je me souviens de ce matin de printemps où, seul à la fenêtre, j'ai assisté à la levée silencieuse du jour.

Envahi par une paix impossible à décrire, je conjurais le ciel afin que personne ne vienne me rejoindre et m'arracher au sentiment de plénitude qui m'envahissait alors.

Tout contact immédiat avec mes semblables m'aurait séparé d'eux en m'arrachant à mes racines béatifiées qui, en ce moment de gloire intérieure, me maintenaient en un indépassable contact avec chacun d'eux !

De même, tu ne peux entrer en communion avec autrui que dans la mesure où tu habites avec toi-même.

Offre ce témoignage à ton semblable, et tu l'entendras s'écrier : « Voilà ce que, sans pouvoir le définir, j'avais toujours attendu de toi ! »

Ce que tu attends toi aussi, sans le savoir, c'est la fascination du limpide, le toucher de l'âme, sans l'esclavage de la présence, et sans la torture de l'absence.

* * *

L'Esprit lui-même devra faire surgir en toi une lumière qui n'a guère de parenté avec celle dont tu fais quotidiennement l'expérience.

D'où vient donc chez toi que tu perçois la gloire à venir au moyen d'images de grandeur, de noblesse et de royauté?

Tout cela, tu le sais pourtant, est à l'opposé de l'attitude des personnes qui vivent en intense communion.

Chez ceux-là, la simplicité, la cordialité, la chaleur, et la spontanéité jaillissent, comme s'ils étaient sans origine.

Là, aucune loi qui en impose, les seules normes sont celles qui viennent du dedans et qui confèrent aux gestes une couleur d'anarchie sublime.

L'amour exige d'inventer ses chemins, ce qui est toute sa joie.

L'amour n'a aucune attente, aucune obligation, ce qui devrait être pour toi source d'un apaisement profond.

L'amour engendre la liberté dans le cœur de l'autre et, à l'avance, lui accorde toute permission.

Surprise « déstabilisante » : dans l'amour, la grandeur perd toutes ses prérogatives !

L'inférieur devient la nourriture qui permet au plus grand de subsister.

Cette loi, tu auras une invincible difficulté à l'appliquer quand il s'agira de ta propre relation avec ton Dieu.

Comment concevoir que plus un être est grand, plus il devient capable de simplicité et de joie spontanée !

Comment accepter que seul celui qui est au-dessus de tout puisse s'abaisser et le faire, non par contrainte ou par condescendance, mais dans un élan spontané qui lui échappe !

L'amour est inférieur à tout et il se soumet en tout.

Dans ta rencontre avec l'Infini, tu as une tendance naturelle à interpréter les rôles respectifs dans un sens opposé à la réalité.

Ainsi, dans la parabole où un père accueille son fils ingrat, c'est lui qui prépare une table abondante.

Mais, si le perdu trouve satisfaction à apaiser sa faim, il reste que dans cette rencontre, le père reçoit bien davantage que l'enfant.

La joie du père ne se contient plus car, si la joie du perdu vient du pain qu'il reçoit, la joie du père vient de la vie qu'il puise dans le cœur de celui qui pourtant ne peut rien lui apporter.

Dans toute rencontre, c'est toujours celui qui est le plus près de la lumière qui est à même de tirer le plus de satisfaction.

En effet, l'amour étant pauvre et dépouillé par nature, il est ouvert à tout ce qui se présente à lui.

Appliquée à Dieu, cette loi fait qu'il a plus de bonheur à te voir entrer chez lui, que tu peux en ressentir à être embrassé par lui.

Consentiras-tu à cette loi incontournable de l'amour ?

* * *

Dans tes rapports avec Dieu, tu accordes beaucoup d'espace à la comptabilité, à l'évolution, à la négociation surtout.

Et, dans la mesure où tu t'attardes à tous ces facteurs soi-disant indispensables ; dans la mesure où tu te fais du souci pour une saine gestion de ton intérieur, tu omets de donner la première place à ce qui était au cœur même du défi, à savoir l'attitude de Dieu à ton endroit.

Tu devras faire preuve de patience envers toi-même avant de parvenir à soupçonner l'existence d'une route où les lois de la circulation n'ont pas à être apprises.

Un jour de grisaille et de grande tristesse, contre toute attente, tu t'émerveilleras de voir se lever la limpidité d'une aurore qui avait pourtant brillé depuis toujours, mais à laquelle tu n'avais pas prêté suffisamment d'attention, obsédé que tu étais par tes propres défis.

Tu assisteras alors à l'avènement d'un matin qui te prodiguera sa lumière et son espérance en même temps que sa main se chargera d'ouvrir miraculeusement le passage devant toi.

Ce jour-là, la lenteur et l'infécondité de tes voies se verront remplacées par une autre législation, celle du miracle qui fait partout irruption.

Tu auras la surprise de constater qu'une seule once d'émerveillement devant la beauté a infiniment plus de poids que des années de labeur et d'austérité dans l'infertilité de tes champs.

Pour la première fois de ta vie, tu connaîtras l'irrésistible mouvement de la liberté nouvelle.

Si ton cœur ne s'est pas endurci, et s'il n'attend aucune reconnaissance pour les sacrifices auxquels il a pu consentir, tu accepteras alors avec bonheur d'être pauvre au point de n'avoir rien à offrir.

Alors, tu pourras faire l'expérience d'une insoupçonnable révélation : le meilleur de ta joie n'est pas de te savoir sans ride et sans tache, mais d'être accueilli en dépit de ton insolvabilité.

* * *

De quelle sorte de poids fait-on usage dans le monde de la grâce?

Il faudra t'habituer à recevoir à la mesure de ce que tu n'auras ni prévu, ni désiré!

Telle est la loi nouvelle: moins tu as de mérites, plus tu acquiers de droits.

Quelle bienséance règne donc à la table du Royaume?

Dans la mesure où tu es moins digne de recevoir, il convient que tu occupes la première place.

Plus ta dette est grande, plus tu t'enrichis de ce que les autres ont amassé à force de labeur et de fidélité: labours et greniers remplis!

Quelle est cette justice qui circule en sens inverse de la nôtre?

Tout ce qui appartient aux autres devient la stricte propriété de l'indigent que tu es.

C'est vers toi, le débiteur insolvable, que doivent accourir, afin de pouvoir survivre, tous ceux qui ont les mains pleines!...

À l'ingrat que tu es, revient le privilège d'être servi par le Roi lui-même, et il convient que tous ses disciples se mettent joyeusement à ta disposition en estimant comme un privilège la grâce de pouvoir te servir.

Parce que l'Amour préside à tout, tu es devenu l'égal de Dieu.

Tu es même plus grand que lui puisqu'il revendique le privilège de te laver les pieds.

Reconnaître que Dieu est Amour, c'est trouver normal de te percevoir comme au-dessus de lui.

Et si, comme l'apôtre Pierre, tu t'étonnes qu'il s'agenouille à tes pieds, tu risques de ne pas avoir de part avec lui.

Lui demeurer inférieur, et le voir au-dessus de toi, signifierait que ton amour est plus grand que le sien!...

Plus en effet l'amour est vrai, plus il met sa gloire à se montrer serviable (1 Co 13, 4).

Un amour qui ne serait pas esclave béatifié de celui qu'il aime serait une contradiction dans les termes.

Que faudrait-il penser d'un amour qui domine, ordonne et s'impose?...

Il arrive effectivement que l'Amour doive s'imposer – en dictant ses commandements, par exemple –, mais quand il se résigne à agir ainsi, c'est uniquement pour ceux qui exigent d'être conduits comme des serviteurs ou des esclaves qui oscillent constamment entre la récompense et le châtiment.

De lui-même, l'amour n'intervient jamais à coups d'obligations et de commandements mais en multipliant les attentions et les prévenances.

Où était le mérite des Apôtres à se faire laver les pieds, et le mérite de la brebis égarée à loger sur les épaules du Berger?

La richesse ultime du Royaume vient de ce qu'il conviendrait d'appeler « ton capital de déficience ».

Y a-t-il jamais eu besoin d'une entente préalable ou d'un compromis quelconque pour que tes infidélités soient inlassablement noyées dans un océan de miséricorde?

La porte ne s'ouvrira jamais aussi grande que pour celui qui aura plus longtemps ignoré l'invitation sans cesse répétée : ce n'est qu'en désespoir de cause que le fils perdu s'est résigné à se présenter sur le seuil de la maison, mais quelle liesse alors !

Quand tu acceptes d'entrer dans la vie après avoir parcouru tous tes chemins de mensonge et de larmes, l'accueil se fait plus chaleureux, comme il est arrivé un jour pour une croix qui s'est soudainement transformée en portail de Paradis.

C'est depuis toujours que la miséricorde du Père abonde, mais c'est l'abondance du péché qui lui donne de « surabonder ».

De même, c'est de la souffrance, et de la souffrance injustement subie que peut jaillir la joie la plus vive et la plus limpide.

Dans l'ordre naturel, il arrive qu'une douleur puisse produire une joie, comme celle de la femme qui donne la vie.

Dans ce cas, la joie vient non pas de la souffrance elle-même, mais du résultat qu'elle produit, l'enfant.

Le côté inexplicable de la joie du Royaume vient de ce que c'est de la souffrance elle-même que jaillit la joie.

Dans les larmes ou dans le sang répandu, c'est la grâce d'être configuré au Christ, lumière et vérité, qui nourrit la joie.

Dans le cas de la naissance, la femme oubliera la peine pour s'arrêter à la joie de l'enfant qui est né.

Mais dans la souffrance chrétienne, la joie est puisée au cœur même de la croix glorieuse qui demeure.

La joie alors s'alimente non pas à même le résultat des larmes, mais dans les larmes elles-mêmes : « Bienheureux ceux qui pleurent » (Mt 5, 11).

Entrer dans cet univers ne va pas sans engendrer un dépaysement au cœur du fidèle.

Les paramètres sont changés et tu ne t'y reconnais plus.

Mais peu importe, le feu qui réchauffe à l'intérieur a l'arôme de la vie, et c'est là l'argument le plus fort pour apaiser la conscience : dans l'ivresse du baiser, tu ne cherches pas à savoir s'il te convient d'être là !

Tu n'hésites plus, même lorsque l'incompréhension de ceux qui t'entourent voudrait te persuader du contraire.

Être touché par la vie constitue le plus solide de tous les arguments.

Après avoir connu un seul de ces moments de joie inexplicable, tu ne consentiras jamais plus à retourner à la mélancolie de tes itinéraires.

La Bonne Nouvelle refusera toujours d'emprunter l'étroitesse de tes chemins, tout comme on n'a jamais réussi à faire lâcher prise au Christ lorsqu'il disait que la miséricorde valait mieux que le sacrifice, et que les larmes répandues avaient plus de prix que les moissons dorées.

* * *

Une vie pleine et débordante est d'un calme infini, et la chose te désole !

Le mystère et le sacré échappent à ton emprise.

La plénitude n'est là que pour intensifier ta soif, non pour l'apaiser.

L'essentiel est austère et sobre.

Si tu n'as jamais connu le rassasiement, vois en cela la preuve que tu t'es nourri de vanité.

Les miettes ne peuvent qu'exaspérer la véhémence de ton désir !

Elle est déroutante, la loi du Royaume : tu auras accès à la vie non en trouvant à te rassasier mais en creusant ta faim.

Ton désir doit s'intensifier au point de te faire mourir à tout.

La tristesse aujourd'hui est que tu es seulement déçu de n'être pas rassasié.

La privation de l'absolu devrait pouvoir empoisonner toute ton existence !

Une même loi préside à toutes les formes de dépendance : pouvoir, avoir, drogue, alcool, etc. ; tu parviendras à te dégager de leurs tentacules non pas en comprenant qu'il y a avantage pour toi à le faire, mais seulement lorsque la souffrance engendrée par ton esclavage deviendra plus intense que la privation de l'idole dont tu es le prisonnier.

Quelle absurde logique : tu dois parvenir au salut non en triomphant, mais en étant saturé de l'amertume engendrée par tes compensations.

C'est en effet lorsque le Prodigue n'en peut plus de souffrir de ses faux dieux qu'il se résigne à retourner à la maison.

Et encore, il sera revenu vers son père, non pour en retrouver le cœur, mais uniquement pour rencontrer un contremaître qui, lui fournissant du travail, lui permettra de survivre.

Il ne va pas vers la source pour la bonne raison qu'il n'a jamais été éveillé à son existence.

Et si le pauvre enfant avait reçu ce qu'il considérait comme une faveur imméritée, du travail et du pain, il serait demeuré éternellement dans sa mort, tout comme son aîné qui, satisfait de ses moissons, n'aspirait à rien d'autre que d'entasser ses récoltes comme le dernier des ouvriers.

De même, s'il fallait que Dieu exauce les demandes que tu lui formules aujourd'hui, tu serais condamné toi aussi à ne jamais sortir de tes esclavages tout en estimant être libre.

Ce que tu peux demander dans ta prière n'est rien d'autre que le pain de l'esclavage et le travail du mercenaire, simplement de quoi survivre.

Le père se doit donc de refuser le pain que l'enfant lui demande afin de pouvoir lui offrir celui-là seul qui peut apaiser sa véritable faim.

Aussi longtemps qu'à l'image de l'enfant de la parabole, tu n'auras pas désespéré de toi-même, tu ne pourras jamais avoir accès à la « manne sacrée » !

Ton salut n'est pas non plus dans ton progrès spirituel, ni dans ta fidélité, objectifs auxquels aspire l'aîné de la parabole.

Pour la brebis perdue, la régularité tranquille de l'enclos était une insupportable incarcération !

L'ordinaire qui satisfaisait l'ensemble du troupeau lui déchirait l'âme et le cœur !

Elle était la seule à être éveillée à un infini qui lui manquait tragiquement, avant même qu'elle ait aperçu son visage.

C'est ce qui explique que le berger avait plus de joie pour elle seule, que pour l'ensemble du troupeau qui était fidèle mais non dévoré par la soif d'un absolu.

Tu souffres peut-être de te savoir privé d'un infini, mais pas jusqu'à en mourir, et cette situation est inacceptable !

Et il te faut aller plus loin encore, c'est-à-dire mourir de ce qui est fini, et mourir surtout du ridicule de tes vertus, de tes moissons dorées !...

Remarque que le grand frère n'a jamais souffert de ses moissons ni de son obéissance, et c'est la raison pour laquelle il ne pouvait entrer dans la danse de la vie.

Quel chemin te reste-t-il à parcourir ?

Faudra-t-il te mettre en quête de la Source afin de pouvoir t'y plonger ?

Non, car aussi longtemps que tu prendras toi-même l'initiative d'aller vers la lumière, elle échappera toujours à ton emprise.

C'est la lumière qui doit se révéler à toi, comme c'est le père du perdu qui devait révéler à ce dernier le pain dont il avait besoin, non pas celui qui lui permettait d'échapper à la mort, mais celui dont il avait besoin pour vivre.

Alors, tu diras : « Il importe au moins de me disposer à en recevoir la révélation ! »

Non, car tout ce qui vient de toi, comme le blé de l'aîné, risque de te fermer la porte du mystère : tout comme c'est la fidélité du pharisien qui l'a empêché d'être justifié, et l'obéissance du grand frère qui l'a cloué sur le seuil de la demeure.

Apprends la loi : on n'augmente pas le débit d'une source en y ajoutant de l'eau mais, tout au contraire, en y buvant à satiété !

* * *

«Vanité des vanités», disait un sage que l'on a aussitôt qualifié de «pessimiste» !

Si jamais un tel jugement s'est échappé de tes propres lèvres, tu as en cela la révélation que tu es bien à l'aise dans l'enclos des brebis endormies !

Te voilà acculé à un immense défi, celui de devoir compter avec l'absolu de la gratuité, réalité inconcevable, s'il en est !

Comment croire que la limpidité de l'amour puisse exister dans le cœur de l'autre quand le tien en a toujours été privé ?

Mais la loi demeure : le baiser répugne à toute négociation !

Le drame est que tu ignores la véhémence de l'appétit qui dort en toi.

Le problème est là : ce qui a été préparé pour toi dépasse de trop tes attentes au ras du sol.

Seuls les endormis peuvent vivre sans être continuellement tourmentés.

Ton drame demeure : tu es dans l'impossibilité d'aller vers ce dont tu as le plus tragiquement besoin, et il te faudra recevoir l'eau qui doit apaiser ta soif.

Évite de remplir tes greniers, car il te faudra les vider avant d'être embrassé.

CHAPITRE 5

DÉCHIRURE

L'animal, une fois rassasié, s'endort sans autre attente.

Un seul bipède, ayant le regard tourné vers le haut, éprouve une inexplicable mélancolie au moment même où son ventre est rempli et que ses mains soupèsent le poids de l'or qu'il avait tellement convoité!

Chez lui, le rassasiement provoqué par les biens qu'il accumule l'éveille à un manque indéfinissable.

Moins il est certain de lui-même, plus il mise sur de fausses valeurs.

Moins il a de quoi se satisfaire, plus il s'enfonce dans l'illusoire.

Plus il boit, plus sa soif s'intensifie.

Plus il reçoit, plus ardemment il désire.

Ce qui le caractérise est son «ouverture à l'insatisfaction» et son incapacité à pouvoir se rassasier de ce à quoi il aspire.

Paradoxalement, c'est là sa gloire et sa grandeur!

On n'avait jamais assisté à pareil phénomène, celui d'un être qui peut gémir et pleurer, alors même qu'il est incapable d'expliquer le pourquoi de sa détresse.

Il lui aura fallu bien du temps pour se rendre à l'évidence qu'il était dépassé par son propre appétit.

Une seule issue lui reste: engendrer lui-même son bonheur, le tirer de son propre fond, pour toucher enfin le repos.

Quand tu te verras privé de tout ce que tu convoites à l'extérieur de toi, tu seras dans l'obligation d'enfanter ce qui est indispensable à ta survie.

Lorsque ton indigence deviendra suffisamment criante, elle ouvrira la source que tu portes en toi et te révélera son abondance.

C'est la disette et l'échec qui t'éveilleront à ta capacité de faire jaillir de ton propre puits l'eau vive qui dormait là et qui, seule, était autorisée à apaiser ta soif.

Ton centre est lumière et, pour qu'il irradie, il te faut être démuni comme l'enfant de la parabole qui, par sa faute, a absolument tout perdu, jusqu'à la foi en l'accueil gratuit de son père, ce qui ne l'a pas empêché de faire resplendir le visage de ce dernier et d'illuminer toute la maison par son inestimable présence.

Un enfant n'a pas à gagner son héritage.

Au royaume de la lumière, tout surgit avant même que l'on ait pensé à réclamer quoi que ce soit.

Et le don reçu révèle ce à quoi on avait toujours aspiré.

Miracle : c'est l'enfant lui-même qui est l'héritage de celui qui l'accueille.

Ici, c'est le père qui est l'endetté et l'insolvable, face à celui qu'il embrasse et dont il reçoit un regain de vie.

Il n'a qu'un veau gras à offrir à l'indigent en retour du bienfait inestimable qu'est pour lui cet ingrat en larmes.

* * *

Tu es un naufragé de l'être !
L'appréhension du néant te hante.
Ton besoin est sans mesure, sans fin, sans remède !

Seul un infini pourra venir à bout de ton tourment.

Il y a au fond de toi ce qu'il conviendrait d'appeler un «site existentiel» que seul un regard «substantiel» peut atteindre et combler.

Prépare-toi à cette surprise où tu découvriras que Dieu s'est caché dans ton visage au point où tu ne peux plus établir une nette distinction entre ses traits et les tiens!

C'est dans cette zone de ton être que tu aspires à être touché, celle qui est vierge et qui ne t'a pas encore été révélée.

Sa présence te rend incapable d'un double emploi: dans la mesure où tu peux te satisfaire du sensible et du visible, tu as en cela l'indice que tu n'es jamais entré chez toi!

Descends en ta demeure, là où Dieu a choisi de vivre son éternité.

* * *

Une connaissance de vie ne jaillira jamais d'une accumulation de données, pas plus qu'en vertu d'un acte d'intelligence.

Changement radical de perspectives ici: c'est la prise de conscience des ténèbres qui t'habitent qui pourra, seule, t'ouvrir aux invasions de la grâce.

Écoute ce que dit la brebis égarée, ramenée au bercail sur les épaules du Berger: «Je ne comprends pas, Seigneur: je le reconnais, je suis la plus infidèle du troupeau et, de plus, je suis la moins bien disposée, car je n'avais même pas envie de revenir au bercail. Et voilà que je te donne plus de joie que toutes celles qui sont demeurées là pour ne pas te contrister!»

Pendant ce temps, chacune de celles qui sont demeurées sagement dans l'enclos, se fait la réflexion suivante : « Comment le Berger peut-il tirer plus de joie de l'étourdie que de moi qui ai tant lutté pour lui demeurer fidèle ? »

Ne t'es-tu jamais surpris à te faire une réflexion de cette nature ?

Le dernier défi du Monde Nouveau consiste à « Le connaître, Lui, avec la puissance de sa résurrection » (Ph 3, 10).

Mais il y a connaissance et connaissance !

Il y a en effet la connaissance qui vient des bienfaits dont une personne a pu faire preuve à ton endroit.

Et il y a celle qui vient d'une lumière intérieure, qui te fait comprendre que l'individu en question est plus grand que ne peut le laisser paraître tout ce qu'il a pu accomplir en ta faveur.

Dans l'ordre affectif, une personne qui jusque-là avait pu être appréciée pour ses qualités, apparaît soudain comme porteuse d'un infini, riche au point de remplir toute une existence de bonheur, ce qui explique l'indissolubilité de tout amour humain authentique.

Comment se séparer d'une source quand elle nous fait vivre avec une telle abondance ?

Quand il t'est donné de toucher ainsi le mystère, ou mieux, quand le mystère lui-même daigne te révéler sa présence, cet événement s'inscrit pour toujours dans ta mémoire.

Tu ne pourras jamais plus t'en séparer, tu ne pourras jamais plus l'oublier, il demeure imprimé dans la mémoire immortelle de l'âme !

Dès que, dans une relation avec ton semblable, le mystère a été atteint, un lien immuable s'établit avec lui.

Après une telle expérience, si l'infidélité surgit un jour, ce n'est pas parce que la mémoire aura failli – elle est éternellement vivante –, mais parce que l'on aura tourné le dos à un appel qui jamais ne cessera de poursuivre le coupable!

L'infidèle devra combattre toute sa vie durant ce lancinant rappel, celui où il lui a été donné de toucher dans l'autre ce qui est infiniment durable: bonheur indépassable.

* * *

Dans un univers où l'on s'évertue à mettre en valeur toutes les ressources dont on peut disposer, comment expliquer qu'aucune école n'ait encore vu le jour pour t'éveiller aux miracles que tu pourrais accomplir si seulement tu savais mieux regarder?

L'Écriture te laisse entendre qu'au cœur de l'éternité tu deviendras semblable à Dieu du seul fait que tu pourras le voir tel qu'il est (1 Jn 3, 2).

Mais ce que la Révélation ne dit pas c'est que, sur terre aussi, il te suffirait d'apprendre à bien regarder, pour t'enrichir effectivement de tout ce que tu aperçois, et mieux encore, pour devenir cela même que tu observes.

En effet, tu le sais, ton organisme biologique est le résumé de toute la création.

Donc, quand tu te retrouves devant une de ses composantes, tu la reconnais d'emblée puisqu'elle est déjà présente en toi.

Mais c'est davantage au moyen de tes facultés spiri-tuelles qu'il est possible de devenir ce que tu contemples.

Ainsi, tu ne peux assister à l'aurore sans te sentir pri-sonnier d'une force qui t'immobilise, sans être saisi par une majesté paisible qui te pénètre et t'enveloppe.

Et quand tu te laisses envahir alors, c'est comme si les limites respectives de deux univers devenaient diffi-ciles à préciser, les différences s'atténuant entre toi et ce qui est là devant toi, entre ce que tu vis et cela même qui te fait vivre.

Le phénomène observé alors t'aide à prendre contact avec les espaces de lumière et de paix qui, depuis tou-jours, t'habitaient à ton insu.

Ce que l'on appelle «maturité spirituelle» est l'état d'une personne qui vit en contact permanent avec son propre mystère, mais sans l'aide d'un élément extérieur à elle: mer, ciel étoilé, couchant, visage aimé, etc.

Et le fait de séjourner ainsi au cœur de ton être, sans aucun appui, est une expérience si apaisante que tu en viens à fermer les yeux devant tous les phénomènes cos-miques, car ces derniers, loin d'aider le processus d'in-tériorisation, nuisent plutôt à la limpidité de ta vision intérieure.

Le signe avait mission de te conduire au mystère, et lorsqu'il a rempli sa mission, lorsque le mystère est atteint, s'il persiste à demeurer, il entrave alors ta com-munion avec le signifié.

Mais le miracle ne s'arrête pas là.

Riche désormais du capital qui t'habite, tu en viens à inverser le phénomène habituel où tu es ébloui par le beau que tu aperçois devant toi.

À ce niveau d'intensité, c'est ta lumière intérieure qui transfigure tout ce que tu atteins au-dehors.

Un François d'Assise, habité de grâce, habille les étoiles d'une beauté qu'elles avaient ignorée jusque-là.

Pour lui, les cieux avaient toujours été là pour «proclamer la gloire de Dieu» (Ps 19, 2).

Mais à partir du jour où son regard est informé par la lumière qu'il porte au fond de lui, c'est cette dernière qui confère aux étoiles une gloire sans pareille!

Dès lors, les étoiles ne sont plus là pour proclamer la gloire de Dieu.

C'est la gloire de Dieu qui, du cœur de François, fait resplendir les étoiles d'un scintillement nouveau.

* * *

Il s'agit moins de viser la perfection de ton agir que de t'éveiller à ce qui se cache au plus beau de toi et, à partir de là, comme le *poverello*, de ne plus voir que le bien partout semé, et devenir incapable de prêter attention au mal puisqu'alors, tu ne vois plus que par la lumière qui est en toi.

Fermer les yeux sur le mal qui t'entoure et sur le mal qui peut t'habiter toi-même, c'est être paradoxalement situé au cœur même de la vérité et agir en enfant de lumière.

Un vivant est si occupé à s'abreuver à même toute beauté rencontrée, qu'il n'a plus le loisir de prêter attention au désordre qui est là et qui, aux yeux de tous, aurait tellement avantage à être corrigé!

«Laissez pousser l'ivraie» (Mt 13, 29), conseillait le Sauveur: recommandation si mal comprise!

C'est l'expérience du bonheur engrangé qui te permettra d'étouffer avec la plus grande efficacité le mal qui t'entoure et celui qui t'habite.

CHAPITRE 6

MYSTÈRE

Il est une multitude de réalités que tu ne peux ni appréhender ni retenir, mais dont la présence influence chacun de tes actes.

Pense, par exemple, à des valeurs comme la paix, l'enfance, le bonheur, etc.

Tu demeures libre de nier leur existence ou de les refuser quand elles se présentent à toi, mais elles subsistent et continuent de t'informer, indépendamment de tes dispositions envers elles, bonnes ou mauvaises. Inlassablement, elles frappent à ta porte.

Il en est de même pour la lumière du Ressuscité qui fait resplendir ta nuit, quoi que tu penses, quoi que tu dises, et quoi que tu fasses, elle s'est introduite dans l'histoire, elle demeure et elle t'informe.

Le merveilleux est que le mystère de l'Église bénéficie lui aussi de cette immunité contre toute attaque qui lui est adressée.

Quelle nouvelle: le mystère de l'Église ne peut pas être altéré par les défaillances et les scandales de ceux qui la composent!

Au-delà du chaos qui peut secouer la barque de Pierre, la lumière et la pureté de l'Église demeurent, inaltérables!

Quelle paix : tes propres fautes ne peuvent ternir en rien la beauté du visage de l'Épouse bien-aimée du Christ.

Et, plus consolant encore, tes fautes ne diminuent en rien la richesse et la beauté de ton propre mystère !

Tu n'as donc plus à attendre que le mal disparaisse de tes sentiers pour pouvoir entrer dans la demeure en y suscitant la fête !

De même, disciple du Ressuscité, tu n'as plus à attendre que le mal disparaisse de ton Église pour la proclamer belle et sans tache, sainte et immaculée, Épouse resplendissante du Christ !...

Miracle qui échappe à tant de regards !

Marie et Joseph montaient chaque année au sanctuaire de Jérusalem.

Les grands prêtres qui y officiaient étaient déjà fort probablement coupables des malversations que le Sauveur signalera plus tard, mais ces simples n'étaient attentifs qu'à leur titre de représentants du Dieu Très-Haut.

Ainsi, l'innocence du regard immunise contre la présence du mal.

Attitude qui est infiniment plus près de la vérité de l'amour que le regard critique toujours pressé de tout rectifier.

On l'avait oublié : corriger à force d'innocence et de limpidité est une œuvre autrement salutaire et efficace que de demeurer à l'affût du mal pour en signaler la présence et l'éliminer au besoin.

Les deux pauvres de Nazareth n'ont pas rectifié la conduite erronée des représentants de Dieu, mais, éblouissant miracle, la gloire de leur innocence, inapte à voir le mal, remplissait le temple de lumière et le purifiait de toute souillure.

Quel changement de vision: une seule once de beauté, découverte dans un océan de laideur, suffit à te béatifier et à te rassasier de gloire!

Nourris-toi d'amertume et de revendication en fermant les yeux à la lumière et à la beauté, et ton cœur en mourra, et tu contamineras aussi ceux qui t'entourent par leur contact avec la mort qui t'habite.

Il y a ton attitude face à Dieu.

Et il y a ton attitude face au prochain.

Mais il y a aussi ta façon de percevoir l'Église.

Tu as le choix de t'émerveiller devant le témoignage des millions de figures sublimes auxquelles elle a donné naissance, les martyrs et les saints, ou bien de te scandaliser devant les erreurs ou les maladresses de la hiérarchie, la faiblesse des prêtres et l'inconséquence de ces fidèles qui se réclament de l'évangile sans le vivre véritablement.

Sache que tu n'as pas reçu la mission de purifier ton Église du mal qui peut avoir cours en son sein.

Ce qui t'est demandé c'est de rendre ton regard à ce point limpide et lumineux que tu ne puisses plus apercevoir en elle – tout imparfaite qu'elle puisse être – que lumière et beauté, resplendissement de la gloire du Christ!

De la même manière que la résurrection d'ailleurs, elle qui n'a pas enrayé le mal du monde, mais a fait en sorte que la permanence des ténèbres ne peut plus altérer l'imperturbable sérénité du visage de l'Épouse Immaculée.

Ultime miracle qui, lui, confine au scandale, le mal qui est autour de toi et le mal qui est en toi n'ont reçu la permission d'exister que pour t'obliger à purifier ta pupille en lui conférant une telle innocence que tu ne puisses plus apercevoir partout que splendeur et lumière!

Voilà l'*éclat* du ressuscité que tu es!

Au cœur même du mal, partout répandu, devant ton propre mal, si tu aperçois autre chose que lumière et beauté, celle de l'infinie miséricorde, c'est que la lumière qui émane de toi n'a pas encore la force d'anéantir toute laideur, c'est que ton œil n'a pas été informé par l'autre clarté: ton puits d'innocence manque de profondeur.

La splendeur du Ressuscité a tout inondé de sa présence.

À partir de cette nuit de lumière, il y a dans tes chemins, des dossiers qu'il est interdit désormais de fermer.

En effet, comment ne pas tenir grands ouverts des dossiers comme celui de ton bonheur, celui de ton accomplissement, celui de ta glorification?...

Ces dossiers, le Christ, vainqueur de la mort et du péché, les tient ouverts devant toi, et il t'invite à y plonger sans l'ombre d'une hésitation.

Quand tu entres dans ces espaces nouveaux où tu es invité, sans pouvoir en comprendre le pourquoi, tu as l'évidence de te retrouver au cœur même de la vérité et de ne faire plus qu'un avec elle.

C'est dire que désormais tu serais coupable d'une faute d'omission en rêvant au bonheur de façon «raisonnable» seulement!

Tu auras remarqué qu'une personne vivant un grand bonheur est toujours belle à contempler, quels que soient les traits de son visage!

Tu ne peux te défendre alors contre un mouvement de bien-être et de joie qui t'envahit.

De même, le Christ a fait éclater tes rêves.

Le tombeau ouvert donne libre cours à toutes tes aspirations.

Une majesté calme et silencieuse a informé tes plus humbles chemins.

La victoire en question échappe à tout discours et ne peut avoir d'impact qu'au niveau du cœur profond.

Sur le seuil du tombeau, il est interdit de réagir autrement qu'à la manière de l'enfant qui s'enfonce dans ses rêves sans jamais penser à en contester la pertinence et la solidité : la réalité nouvelle est trop belle pour ne pas être vraie !

Si, aujourd'hui, une prudence tout humaine s'avisait de te laisser entendre qu'en raisonnant de la sorte, tu te nourris d'illusions et que tu t'exposes ainsi à bien des déboires, il faudrait pouvoir répondre à ton interlocuteur que l'on n'argumente pas avec le bonheur !

Il te faudrait ajouter encore : « Mon ami, il n'existe plus désormais qu'une seule "illusion", la tienne, celle où tu refuses de t'ouvrir à l'impossible au moment où tu l'entends qui frappe à ta porte. »

* * *

Comme il peut être inconfortable de devoir vivre avec un intérieur divisé !

Mais quand le cœur est parfaitement purifié, ses choix jaillissent avec véhémence, sans l'ombre d'une hésitation.

De plus, avant tout acte de discernement, il en a la certitude, ses choix seront définitifs, jamais sujets à l'erreur, et ils le feront vivre à l'excès.

Un cœur plein à déborder ne connaît jamais le questionnement !

Quand à l'intérieur un feu est là qui dévore, le choix à faire s'impose, sans qu'il soit nécessaire de prêter attention à la possibilité d'une option différente.

La joie qui en ressort est limpide comme la prunelle de l'enfant !

S'il en est ainsi, c'est que, dans un acte de cette nature, et sans même que tu en sois conscient, c'est de ta propre mise au monde qu'il s'agit !

Dans un pareil climat, la soumission elle-même se transforme en un acte libérateur d'où sont évacués les aspects pénibles sur lesquels tant d'autres achoppent.

Aussi longtemps que ton obéissance ne s'est pas muée en célébration, c'est que ton harmonie intérieure n'est pas définitivement acquise.

Il est pour toi une seule manière de vivre comme un être parfaitement libre : accéder à l'obéissance « festive » !

À quoi pourrais-tu avoir à renoncer quand tu as le cœur rempli à satiété, rempli non de ce que tu as convoité, non de ce que tu as amassé, mais de ce à quoi tu as toi-même donné naissance ?

Tu respires comme un vivant à partir du jour où tu peux prendre tes décisions de façon irrévocable.

C'est alors que surgit le prodige : tes choix ne sont plus déterminés par tout ce qui se présente à toi comme options possibles, mais uniquement par ce qui se cache de limpide en toi, ce qui te permet de percevoir ton objet resplendissant de lumière!

Comme lorsque le cœur est immergé dans l'amour et qu'il se nourrit à partir d'un seul et inviolable objet.

L'infidélité à ce qui le fait vivre ainsi à déborder devient alors une impossible éventualité!

Peux-tu seulement imaginer, dans pareil contexte, quel sentiment de liberté intérieure peut naître en toi?

Un vivant est celui à qui rien n'est imposé de ce qui vient des hommes ou des événements, ni même de ce qui lui vient de Dieu, est-ce bien possible?...

Tu fais violence à ton intérieur aussi longtemps que tu acceptes de circuler dans un climat où, en toi, subsiste la moindre hésitation.

Le jour des noces, on imagine mal la mariée fondre en larmes en quittant sa famille: une telle attitude, en effet, serait de mauvais augure pour l'avenir du couple...

Ton cœur n'est pas construit pour le doute ni pour l'inconstance.

Vienne ce jour où tu pourras choisir sans avoir à renoncer à quoi que ce soit, l'attrait de la manne offerte étant irrésistible au point d'éliminer toute autre option.

Vienne ce matin où tu n'auras plus à te soumettre, parce que tu auras tout embrassé!...

Ce jour-là, tu auras appris à dormir en paix, persuadé que, pour grandir, ton jardin a davantage besoin de ton repos que de ton inquiétude.

Ton défi ne consiste plus à conduire toute chose à bonne fin, mais à assister à l'émergence d'un phénomène où ton visage t'apparaît exactement comme Dieu le voit.

Dès lors, ton objectif n'est pas de t'imposer à tout ce qui t'entoure.

Une seule obligation demeure : choisir le meilleur, et faire de ce choix lui-même le plus enviable de tes triomphes !

* * *

Une grande intensité de vie prend souvent couleur de sclérose.

Ainsi, aux yeux du profane, le geste le plus sublime, celui de l'adoration, apparaîtra facilement comme l'attitude d'un désœuvré.

Il est à remarquer que, dans un cas comme dans l'autre, la personne est immobilisée.

Reste à savoir si c'est par indolence ou en raison d'une plongée jusqu'aux racines de l'être ?

La gloire de l'amour est aux antipodes du triomphe tapageur !

Une surabondance de vie paralyse toute vaine agitation et résorbe tout l'être dans l'harmonie.

Et il arrive que le repos de la vie et le silence de l'être puissent t'être intolérables à toi aussi.

Pour toi, vivre peut donc constituer un redoutable défi.

Oseras-tu dire que tu as atteint à un rassasiement tel que tu n'aspires à rien de plus ?...

Mais alors, aurais-tu été construit pour vivre toujours d'insuffisance et de manque ?

Tu demeures si étranger à ton héritage qu'au moment où tu seras visité par son irruption en toi, tu en éprouveras de la déception et de l'ennui!

La béatitude essentielle devra imposer sa loi à ton activité inquiète.

Comme les fruits chargés de sève font se courber la branche qui les a nourris, de même le poids de la vie que tu portes en toi doit incurver tout ton être vers le mystère et le sacré.

Une très grande intensité de vie s'accompagne toujours de pudeur; elle ramène tout l'être en son centre et le rive à un bonheur durable autant que paisible.

Alors, au-delà des images, au-delà des formules et au-delà des gestes, tout est dit, tout est compris.

Tu as connu ces instants de bien-être inexplicable qui sont venus te surprendre parfois alors que tu n'y étais aucunement préparé.

Ces expériences te laissaient entendre que la splendeur d'un autre horizon était là, caché au fond de toi, et qu'il attendait pour apparaître que tu puisses le recevoir sans être déstabilisé par son avènement.

Tu es appelé à assister un jour à ton soleil levant, mais en premier lieu, il te faudra être longuement initié à une forme de bonheur qui, aujourd'hui, semble ne devoir jamais faire partie du menu de ta table.

La paix de tes racines est là, installée à demeure en toi, mais parce que tu ne t'es jamais arrêté à en palper la richesse et à en déguster la saveur, les espaces vierges de ton héritage sont souvent pour toi générateurs de lassitude et d'ennui.

Rien à faire, et rien à attendre sans cette humble confession!

Tu n'y peux rien, et ta source devra te faire violence, forcer ta porte.

L'heure vient où ton centre émergera de tes ruines comme un jour nouveau.

Ton scepticisme alors sera définitivement vaincu, et tu pourras bénéficier de ton capital sans danger de narcissisme.

* * *

Une erreur trop fréquente consiste à confondre la fidélité à soi-même avec les caprices de l'amour-propre.

Pourtant, rien de plus contraire à la recherche égoïste que le respect de tes racines de vérité.

En effet, tous ceux qui, dans l'histoire, ont pris le parti de laisser voir leurs traits particuliers, en refusant de se laisser enfermer dans l'opinion que superficiellement l'on avait pu se faire d'eux, ont eu maille à partir avec les tenants de la loi.

Être soi-même, ce n'est pas agir en fonction de ses besoins immédiats, mais s'exposer à mourir, à mourir non parce que l'on bouscule les coutumes, mais parce que l'héroïsme dont il faut faire preuve alors donne mauvaise conscience à tous ceux qui préféreraient ne jamais abandonner leur paisible chemin.

On a vite fait de ramasser des pierres quand un individu vient rappeler à tous cette mission primordiale qui consiste à devenir soi-même, ce qui conduit au don de soi pour le bien de tous.

Il est loin d'être manifeste à tes yeux que tu ne peux servir convenablement tes semblables avant d'avoir donné naissance à tes couleurs propres, et sans les imposer à ceux qui ont tendance à te juger uniquement sur l'agir, sans avoir la générosité de descendre jusqu'à ton mystère.

Comment concevoir que la plus haute forme de charité que tu puisses exercer envers tes semblables consiste à leur imposer les traits de ton visage, en les obligeant à les respecter, tout comme Dieu lui-même est le premier à veiller sur les traits de ce visage unique qu'il t'a façonné.

Au monde de la grâce, il n'y a jamais eu de vrais jumeaux!...

* * *

Si on demandait à un journaliste de relater dans le journal du lendemain le dialogue de deux amoureux, comment le pauvre homme pourrait-il transmettre la substance des paroles entendues de façon à intéresser l'ensemble des lecteurs?

Rien dans un tel discours qui puisse retenir l'attention d'un auditoire, à l'exception des deux intéressés qui, eux, vibrent dans cette expérience.

Le contenu de ce qui est formulé alors a bien peu d'importance!

C'est uniquement l'intensité de la communion qui se vit entre ces deux personnes qui peut féconder, et jusqu'à l'infini, le «vide existentiel» de leurs paroles.

Et les intéressés qui font l'expérience d'une telle communion choisiront de se taire, plutôt que d'expliquer leur secret à ceux qui ne sauraient comprendre.

Un frémissement de vie se partage avec initiés seulement, et ici, un seul peut avoir le privilège d'être reçu en audience sacrée!

Dans un tel dialogue, aucune fécondité apparente, mais assise première de toute société, maillon indispensable à la chaîne indiscontinue des générations qui se succèdent sur la terre.

Ce genre de conversation qui n'intéresse personne est l'assise indispensable de toute vie sociale.

CHAPITRE 7

BONHEUR

Il serait tellement souhaitable de pouvoir affirmer que ton bonheur est plein et qu'il est là pour toujours, immuable!

Pourquoi ce qui est si souhaitable ne pourrait-il pas devenir ta part aujourd'hui, pourquoi ne pourrais-tu pas, dès maintenant, entrer en possession de ton héritage?

Pourquoi es-tu constamment menacé quand il s'agit de santé, de ressources matérielles et de communion sans nuages avec ceux qui t'entourent?

Pourquoi es-tu quotidiennement menacé par mille dangers qui sont extérieurs à toi et davantage encore par ceux qui couvent au-dedans de toi?

Quoique cette situation semble inacceptable, tu t'es habitué à ce climat d'insuffisance qui est ton partage depuis toujours.

Et tu vas jusqu'à estimer comme un «privilège» de pouvoir être épargné par des calamités qui frappent tant de monde autour de toi.

Comme si la simple absence du malheur avait de quoi te satisfaire.

Où ton bonheur pourrait-il bien se cacher?

Pourtant, rien ne te manque!

Tu es déjà en possession de ce dont l'apparente absence te fait gémir.

C'est la richesse même de ton capital intérieur qui te tourmente.

Souffrir du vide et de l'absence, c'est avoir la révélation qu'une gestation est en cours d'accomplissement en toi.

Seul un non-assoiffé peut vivre sans être tourmenté par un impossible appel.

Quel déroutant chemin t'est proposé : souffrir d'être inaccompli, c'est côtoyer le sommet de tout accomplissement !

Si cette affirmation t'étonne, observe ceux qui, dans l'évangile, gémissent dans l'évidence d'avoir raté leur vie.

Pour tous ceux-là, la fête éclate, et l'anneau d'or est passé au doigt.

* * *

Étrange vérité : le bonheur est une réalité si simple et si dépouillée qu'il a tôt fait de t'ennuyer !

Alors tu appelles le drame, afin de te distraire et de te procurer ainsi la sensation de vivre.

Redoutable défi : il te faudra apprendre à sauver le monde par la profondeur de ton recueillement !

Le plus urgent et le plus salutaire consistent à immerger l'univers dans cette harmonie qui devra s'être installée en toi d'abord.

Il est plus important de mettre de l'ordre dans ton sanctuaire intérieur que de rectifier les rouages disloqués de l'univers.

Le jour où tes racines baigneront dans une paix indéracinable, tu pourras, devant un monde à feu et à sang, ne plus y apercevoir qu'harmonie et paisible beauté.

Cesseras-tu de profaner l'inconnu avec tes moissons dorées?

Te laisser façonner le cœur est plus salutaire que construire la Cité.

* * *

As-tu mesuré l'intensité de ta soif?

Du berceau à la tombe, le besoin de communion te tourmente, et l'insécurité te pousse à accumuler sans fin avoirs et certitudes.

Mais il est en toi un autre besoin que tu ne parviens pas à déceler.

Tu trembles à la pensée de devoir procéder à l'inventaire de la tristesse qui pourrait t'habiter?

Tu ne t'y résigneras jamais si les joies qui passent ont de quoi te satisfaire et que tu n'es pas profondément déçu en les voyant disparaître.

Aussi longtemps que tu engrangeras paisiblement tes récoltes, ta détresse intérieure n'osera jamais se dire à toi, persuadée alors qu'elle ne sera jamais entendue ni comprise.

Le jour vient où tu auras la surprise de constater que ta vocation ne consistait pas à remplir tes greniers mais à engranger le bonheur!

* * *

Pourquoi la surabondance de la vie se refuse-t-elle à toi?

Il y a cette situation dans l'ordre naturel en vertu de laquelle les rôles semblent inversés.

Tout au bas de l'échelle, tu vois la pierre insensible, immunisée contre toute souffrance.

À un étage supérieur, il y a la fleur qui, sans effort, et sans douleur s'ouvre au soleil avec tant de grâce et d'aisance.

Au degré suivant, l'oiseau ne semble avoir rien d'autre à faire que de chanter en construisant son nid.

Arrive enfin le roi de la création qui, lui, est continuellement aux prises avec l'obligation de gagner péniblement son pain, en perpétuelle crise de croissance, continuellement arraché à la terre et incapable de se fixer dans les cieux!

Vaudrait-il mieux ne jamais être entravé dans ta marche, ou ne serait-il pas préférable de demeurer dans la constante obligation de renoncer à ce qui est seulement bon et souhaitable afin de pouvoir accéder à une expérience située au-delà de tes désirs et de tes rêves?

Tu es ainsi construit: le réel auquel tu aspires ne te suffit pas, et le surnaturel échappe à ton emprise!

Tu aimerais tellement pouvoir te satisfaire de moins et connaître un peu de repos!...

CHAPITRE 8

CONVERSION

Un assoiffé s'exaspère de la routine et du normal.

Il saborde les convenances et plonge dans l'excès avec l'espérance d'apaiser la soif qui le tourmente.

Il exige de ses idoles qu'elles lui apportent un infini dont, sans le savoir, il est en quête.

Mais l'idole l'abreuve de déception, et c'est en larmes qu'il arrive au bout du chemin où l'attendait la lumière qu'en vain il avait désespérément partout cherchée.

Et, parce qu'il est affamé d'absolu, il s'ouvre au baiser qui lui est offert, à l'encontre de celui qui, satisfait de sa fécondité, n'attend rien de plus comme accomplissement que le salaire qu'il a mérité.

Pour ce dernier, s'ouvrir à l'invasion d'un bonheur auquel il n'est pas éveillé, viendrait chambarder sa programmation parfaite et l'obligerait à abandonner tout ce sur quoi repose sa trompeuse assurance.

Alors, la délinquance serait-elle devenue chemin de vie?

Puis, l'obéissance conduirait-elle à la revendication?

La vertu (comme l'obéissance de l'aîné de la parabole), parce qu'elle risque d'endurcir le cœur, serait-elle donc devenue une valeur à proscrire?

Ainsi trancheront ceux qui ont des yeux pour ne pas voir!

Le roi Hérode, délinquant s'il en fut, n'était qu'un pur jouisseur, n'hésitant pas à répandre le sang de Jean, le prophète, pour répondre au désir d'une danseuse: cet homme n'était absolument pas déchiré par l'appel d'une transcendance et le sentiment de sa déchéance.

Voilà la sorte de délinquance qui est à bannir, celle où la conscience, après avoir été longuement foulée aux pieds, choisit de ne plus se faire entendre.

Notons que le Sauveur a qualifié ce roi de «renard», ce qu'il s'est toujours abstenu de faire devant les fauteurs de scandales, parce qu'il discernait chez ces derniers une soif cachée dont eux-mêmes étaient encore inconscients.

Le point névralgique ne consiste donc pas à rectifier la conduite de ceux qui errent, mais à savoir discerner d'abord ce qui se cache derrière tout désordre: la tranquille satisfaction égoïste, ou bien un appel déchirant à l'endroit d'un Amour encore inconnu.

Pour ce qui est de la vertu, la loi est simple: quand elle est le résultat de tes efforts, elle te prédispose à négocier avec l'Amour.

Elle aspire à être reconnue et récompensée.

Le Seigneur placarde impitoyablement toute vertu, dès que l'on tente de lui accoler une valeur quelconque: pharisien en action de grâce devant l'autel, grand frère sur le seuil, ouvriers de la première heure, etc.

La seule vertu qui est autorisée à se manifester dans ta vie est celle que tu n'as jamais recherchée pour elle-même et à laquelle tu n'accordes aucune importance quand, par surcroît, elle t'apparaît un jour.

C'est celle qui surgit dès que tu es traversé par un frémissement de vie.

Toute vertu qui ne jaillit pas d'elle-même et n'est pas enfantée par un excès d'amour et de bonheur, glisse immanquablement vers le sacrilège et la profanation !

La vertu n'est pas un effort pour bien te conduire, elle doit être un mouvement qui t'échappe quand ton cœur est rempli.

Une vertu qui jaillit du cœur a ceci de particulier qu'elle est tenue pour rien par celui-là même qui la possède, la seule richesse de ce dernier consistant à se rassasier à même la beauté d'un amour devant lequel il demeure en admiration.

C'est dire qu'une vertu à laquelle tu es attentif, une vertu dont tu tires satisfaction, une vertu qui te réconforte face au jugement à venir, se transforme aussitôt en son contraire.

Avoir souci de ta perfection est le contre-pied de la perfection !

Le jour où tu auras accès à la transparence de l'Amour, tu en viendras à pleurer, non plus sur tes manquements, mais sur la valeur que tu avais accordée à tes vertus.

* * *

Il y a bien longtemps que tu luttes et que tu gémis sur tes échecs !

Mais le Père a jugé que tu avais trop de courage à ton actif.

Il te reproche de l'avoir perçu comme un contre-maître avec balance à la main.

C'est le plus simple et le plus facile qui ont mission de te préparer à la rencontre avec Celui qui t'a choisi alors que tu étais sans force.

Si tu aspires à de grandes choses, si tu rêves d'une éminente perfection chrétienne, tu risques d'arriver à la maison avec ta réussite plein les mains, mais avec un cœur qui circule à vide.

Ton cœur n'est pas rentable !

Tu as toujours cru que, pour t'accueillir en triomphe, ton Dieu exigeait de toi que tu sois vainqueur, vainqueur de tes faiblesses et de ton égoïsme.

Il te faudra démolir toute forme de grandeur et de justice en Dieu, démolir surtout toute aspiration chez toi à une dignité en vertu de laquelle il serait plus facile pour Dieu de t'aimer.

Feras-tu à ton Dieu l'injure de le croire capable d'apprécier seulement ce qui mérite de l'être, comme le font les humains ?

Comment désamorcer chez toi ce désir naturel de bien paraître devant lui, comme si l'amour pouvait être attentif à autre chose qu'à ta personne ?

Tu seras incapable de dessiner à Dieu un visage de pur accueil, aussi longtemps que tu aspireras à être digne pour te présenter devant lui.

Le problème majeur dans ta relation avec Dieu n'est pas le fait que tu sois imparfait.

Ce qui fait que tu as tant de difficultés à te sentir bien en sa présence, c'est qu'à tes yeux, ton Dieu est grand !

Mais c'est là une contradiction dans les termes.

En effet, Dieu ne peut pas être grand !

Avoue que c'est là une affirmation qui ne passe pas facilement la rampe : Dieu ne peut pas être grand !

Il y a deux manières d'approcher Dieu qui sont aux antipodes l'une de l'autre.

Il y a d'abord le Dieu de la nature, celui qui fait jaillir la création à partir du néant et qui fait tourner les galaxies.

Ce Dieu-là, il est grand : c'est lui que tous les primitifs ont adoré et à qui ils ont offert des sacrifices, jusqu'à immoler leurs propres enfants, afin d'apaiser son courroux.

Mais, un jour, sur le Sinaï, ce même Dieu, puisqu'il n'y en a qu'un seul, ce même Dieu est venu nous révéler une autre facette de son visage, celui qui voyait la misère de son peuple en Égypte.

En nous déclarant qu'il était l'Amour, et que nous étions l'objet de cet Amour, le Dieu de la nature, celui des origines, prenait un tout autre visage.

Ce qui explique que tu éprouves tant de difficultés à te débarrasser de cette image d'un Dieu qui te domine, est le fait que tu confonds le Dieu de la nature avec le Dieu de la Révélation, le Dieu de la grâce et de la communion.

Comment parviendras-tu à concevoir spontanément que Dieu puisse être plus simple que toi ?

Comment arriveras-tu à apprivoiser la majesté de Dieu, au point d'éliminer absolument toute forme de grandeur en lui ?

Dieu n'a plus le choix : dès lors qu'il se révèle comme étant l'Amour, il se renierait lui-même en te percevant comme inférieur à lui.

Et plus il te dépasse en amour, plus il s'éloigne d'un sentiment de supériorité face à toi.

Le propre de l'Amour est d'être ébloui par la splendeur de son objet.

Tu confesses que Dieu est amour, puisqu'il te l'a révélé, mais tu persistes à lui prêter des attitudes qui sont en contradiction avec l'amour.

Un amour qui serait grand, un amour qui pourrait te dominer, un amour qui, pour être rencontré, t'obligerait à regarder vers le haut, un amour qui s'apprêterait à juger le bien et le mal de ta vie au dernier jour, serait l'envers de lui-même.

En découvrant une source qui coule joyeusement, personne ne s'écriera : « Quelle grandeur ! »

On dira plutôt : « Quelle limpidité, quelle fraîcheur ! »

Et devant la beauté d'un visage, surtout s'il s'agit de celui d'une personne que tu aimes, tu ne t'exclames pas non plus : « Quelle grandeur ! »

Dans l'amour, il n'est aucun espace disponible pour la grandeur.

Tu as en mémoire cet épisode de l'évangile où une pécheresse fond en larmes sur les pieds du Sauveur.

Le Christ prend sa défense en disant qu'elle a beaucoup aimé.

Or, le grand amour dont elle fait preuve la conduit spontanément à embrasser les pieds de Celui qui la sauve.

Voilà la logique de l'amour, la seule logique de l'amour : s'effacer, disparaître au besoin, pour laisser tout espace à l'adorable visage, source de tant de bonheur !

D'instinct, l'amour répugne à toute forme de supériorité et de domination.

Pour l'Amour, embrasser le pauvre que tu es restera toujours la plus grande de toutes ses œuvres!

Si, à tes yeux, Dieu est plus grand que toi, tu n'as plus la permission de dire qu'il est l'amour!

* * *

Tu rêves au dernier jour comme à celui où il y aura grande joie pour toi de pouvoir pénétrer enfin dans la définitive lumière, mais c'est dès aujourd'hui qu'il t'est loisible de connaître cette joie en plénitude.

«Pour que votre joie soit complète», disait le Sauveur (Jn 16 24).

Il t'arrive parfois de promettre une récompense à un enfant, à la condition qu'il se montre bien obéissant.

Mais as-tu pris conscience qu'agir ainsi était circuler en sens inverse de la vie?

En effet, c'est laisser entendre au petit que le bonheur d'aimer n'est pas suffisamment riche par lui-même, et qu'il te faut compenser en y ajoutant un élément susceptible de persuader l'enfant qu'il a avantage à bien agir.

Dans un authentique amour humain, on ne sent jamais le besoin d'inviter une tierce personne pour intensifier le bonheur.

Tout y répugne au contraire!

C'est que tout ce que l'on peut ajouter à l'amour le défigure.

Un acte de vie ne se récompense pas: il est à lui-même sa propre récompense!

Le Seigneur a dit: «Si quelqu'un m'aime, le Père et Moi viendrons en lui» (Jn 14, 23); en d'autres mots, si quelqu'un m'aime, il sera aimé en retour.

Il n'y a pas d'autre récompense à l'amour que l'amour lui-même.

C'est là, pour lui, l'unique manière de récompenser.

Toi-même, tu ne dois rien lui apporter que ton visage à embrasser.

Mais il importe de pousser plus avant et de dire à Dieu: «Je t'aime à cause de toi-même, indépendamment de l'amour que tu me portes.»

Cette marche te semble bien haute!

Tu estimais avoir compris à quelle profondeur l'évangile pouvait t'appeler.

Tu n'appartiens plus au pouvoir de la mort.

Tu es un affranchi de ta propre mort.

Continuellement vaincu par ton péché, tu es traversé par une lumière dont la puissance te dispense d'avoir à laver ton visage.

Désormais, la pièce maîtresse de toute pénitence est la conviction que tu es habité par cette indéfectible lumière: en toi, et de façon continuelle, la Vie est victorieuse de ta mort.

Révolution: dans la vie nouvelle, c'est la conviction paisible que la griffe de la mort ne peut plus t'atteindre qui est devenue la substance même du jeûne.

S'il y a l'indispensable jeûne où tu te prives de nourriture, il y a ce jeûne plus salutaire encore qui consiste à te nourrir d'indulgence et de pardon.

Au temps du Sauveur, et de nos jours encore, les jeûneurs ont toujours été beaucoup plus nombreux que les prostituées, capables de gaspiller leurs larmes et leur nectar de grand prix sur les pieds du Sauveur!

De quoi ton urne est-elle remplie?

Quelle anomalie: tu peux souffrir de ce que tu ignores de toi-même!

Tu ne cesseras de gémir qu'à partir du moment où tu entreras dans une transfiguration que tu étais incapable d'appeler, pour la bonne raison que tu n'y étais pas éveillé: elle que tu ne peux connaître qu'en en étant traversé.

Avant de vivre un événement de cette nature, lorsque tu parles de transfiguration, tu n'aspires pas à passer dans un autre univers, mais seulement à de simples corrections de trajectoire.

Comment pourrais-tu imaginer un mode d'être et d'agir qui n'appartient pas au monde qui est le tien?

Enfermé à l'intérieur de cet horizon que tu connais, tu trouves normal de vivre sans que ton tablier soit rempli d'une mesure tassée, secouée, débordante (Lc 6, 38).

Comme si le pécheur que tu es n'avait pas droit à une coupe servie à la mesure même de Dieu!

Comme s'il devait y avoir des conditions à ton bonheur.

Comme s'il te fallait être digne pour être récompensé de façon triomphale, avec la danse et l'anneau d'or au doigt.

Comme s'il fallait que ton cœur soit bien disposé pour être bien accueilli: «Les païens n'en font-ils pas autant?» (Mt 5, 47).

Es-tu conscient alors de rabaisser l'évangile à un niveau aussi tristement humain?

L'originalité de la conversion que le Sauveur te propose est celle où ta guérison consiste à recevoir une perpétuelle transfusion de miséricorde dans ton cœur jamais converti.

Ta transfiguration est le jaillissement d'un continuel débordement de vie dans un cœur qui est aux prises avec sa mort, un cœur qui ne pourra jamais réapprendre à vivre par lui-même, après avoir été comblé pourtant de ce qu'il ne méritait pas de recevoir.

Lorsque le Donateur lui-même se livre à toi, tu cesses de convoiter le don!

Dans l'ordre physique, tu as fait l'expérience de ces guérisons qui font suite à une maladie.

Mais il n'en va pas ainsi dans le Royaume, et c'est bien là que se situe pour toi la pierre d'achoppement.

Tu rêvais de changer.

Tu rêvais de devenir digne de l'Amour.

Tu rêvais de pouvoir vivre enfin sans avoir toujours besoin d'être lavé dans un bain de miséricorde.

Tu rêvais d'être embrassé, mais seulement après avoir eu le temps de laver ton visage.

Tu rêvais de guérir pour devenir digne d'être aimé.

Mais tu ne seras jamais aimé parce que tu seras devenu aimable!

Il s'agit de reconnaître Dieu comme étant capable d'aimer spontanément ce qui n'est pas aimable.

Comment accepter que Dieu puisse être celui « qui aime qui ne l'aime pas », et qu'il soit capable de la joie la meilleure au moment même où il agit avec une telle inconvenance?

Décevante révélation : l'accumulation de tes victoires et la fidélité de ton obéissance ne te rapprochent pas du but !

C'est la victoire de l'Amour sur ton incapacité d'aimer qui est la clef te permettant d'avoir accès à l'autre univers.

Quel inacceptable revirement : tu avais rêvé d'un ciel où, débarrassé enfin de ta faute, tu serais devenu enfin digne d'être aimé !...

Mais quelle maigre récompense que celle-là : réduire la béatitude éternelle à une expérience humaine sans plus !

Une béatitude « sans condition » est-elle seulement concevable pour toi ?

* * *

Il est, certes, une multitude de passages dans la Bible qui t'invitent à corriger ta conduite, mais selon l'Évangile, « être parfait » consiste à demeurer dans une paix profonde alors même que tu as l'évidence d'avoir mal agi, ce qui s'appelle « expérience de publicain ».

L'enfant du Royaume a la certitude au cœur que l'Amour peut l'arracher à sa propre mort même s'il ne sait pourquoi.

Celui qui n'a pas eu part au secret révélé dira que c'est là ouvrir la porte à tous les abus.

Mais parler ainsi c'est ignorer que la révélation de cet amour qui nous a appelé chacun par notre nom, engendre la plus haute forme de vigilance qui soit, tout comme la découverte d'un grand amour amène une personne à éviter avec le plus grand soin de déplaire à l'autre, et cela, non dans le but de lui être plus agréable, mais à cause d'un trop-plein de bonheur dont déborde le cœur.

En présence de la beauté, celle d'une personne que l'on aime, la moindre négligence prendrait aussitôt des allures de profanation.

On agit alors par débordement et non plus par convenance ou obligation.

Seuls sont beaux les gestes qu'un excès de bonheur laisse échapper.

Auras-tu toujours la tentation de veiller sur ta conduite?

L'Amour seul est autorisé à arrêter son regard sur tes actes.

Au seuil du Royaume, le mal de toute une vie est ignoré.

Quant au bien, soigneusement engrangé, s'il nourrit chez toi la prétention de se voir apprécié, il se change aussitôt en fruit d'amertume et de revendication!

Toute œuvre conduite à bonne fin doit obligatoirement disparaître et s'anéantir dès qu'émerge le visage de l'essentielle Beauté.

Et l'inestimable bienfait de te savoir accueilli par lui doit lui-même disparaître au profit de la joie de pouvoir le contempler.

L'absolu de l'admiration doit aller jusqu'à paralyser en toi le moindre mouvement de reconnaissance!...

Voici la merveilleuse nouvelle!
Voici l'insoupçonnable miracle!
Le jour où ton bonheur ne reposera en rien sur ce qui vient de toi, le jour où il ne reposera même pas sur les bienfaits qui te sont venus de Dieu, son pardon, le

veau gras, la plus belle robe, etc., lorsque ton bonheur viendra uniquement de ce qu'est Dieu en lui-même, tu te retrouveras avec une joie devenue immuable et éternelle tout comme la sienne!

Alors, tu ne connaîtras jamais plus la déception, la déception venant de toi-même.

Quel bonheur d'apprendre que l'Amour est tout à toi alors même que toi tu n'es pas totalement à lui!

Il doit suffire à ta joie que le cœur du Père soit en santé!

L'Amour n'est jamais malade.

L'Amour n'est jamais chagrin.

L'Amour est vivant, ou n'a jamais été.

L'Amour célèbre, sans quoi il dépérit.

Savoir lire l'évangile, c'est comprendre qu'en toi, tout est accompli du seul fait que Dieu est vivant!

Cette vérité, le Prodigue, sur le chemin du retour, ne l'avait pas comprise: il ne connaissait pas celui vers qui il cheminait.

Oseras-tu affirmer que tu le connais, toi, celui vers qui tu avances aujourd'hui?

Héroïquement fidèle, irréprochable en tout, ou criblé de dettes, le cœur rongé d'égoïsme et d'ingratitude ou riche des plus beaux dévouements, tu as droit à tout l'héritage, le savais-tu?

L'héritage, en effet, n'est pas lié au mérite ou à la dignité, mais au fait d'être l'enfant.

La somme dilapidée par le perdu n'était que le symbole de son véritable héritage.

Celui-ci était de pouvoir entrer en communion avec le cœur de son Père, quel que soit l'état dans lequel il pouvait se retrouver.

Oui, diras-tu en apercevant la beauté de son visage au seuil de la demeure : « Oubliez mes vertus et mes fautes, oubliez mes mérites et mes crimes ; car tout ce qui vient de moi en bien ou en mal doit s'anéantir pour que la beauté de Celui qui m'accueille resplendisse de tous ses feux ! »

C'est bel et bien l'obéissance du grand frère qui l'a privé de l'héritage : quel mystère, il n'était pas pauvre de tout, et surtout, il n'était pas pauvre de lui-même !

Et dire que toute ta vie durant, tu n'as rêvé que de perfection et de mérites, de fécondité et de victoires, afin de pouvoir te présenter avec une plus grande assurance à la porte de la demeure, comme si ton cœur n'avait jamais été évangélisé, comme si tu n'avais jamais lu la Bonne Nouvelle !

Tu as rêvé de récompense en oubliant que tu étais toi-même la récompense de Dieu : de quelle béatitude tu te privais alors !

Ce n'est pas le martyre qui te ménagera une meilleure récompense, mais la reconnaissance et l'acceptation du visage de l'Amour qui s'incline pour embrasser ton visage de perdu.

À ce moment, ce ne sont pas tes fautes qui te menaceront, mais le fait de faire appel à tes moissons et à ta fidélité, comme si l'Amour, avant d'embrasser, pouvait prendre le temps de mesurer, de peser et de négocier !

Le marchandage et la fête du cœur appartiennent à deux univers opposés l'un à l'autre !

Comme il est facile pour toi de mépriser l'Amour dans ce qu'il a de plus pur, cet Amour qui anéantit tout obstacle et qui supplée, et avec quel bonheur, à tous tes manques !

Que de profanations dont tu te rends coupable, tout en croyant œuvrer à l'essentiel!

Rien de ce qui vient de toi, en bien ou en mal, n'influencera jamais le regard que l'Amour pose sur toi.

Tu pourras entrer dans la joie du Père par cela seul qui vient de lui: l'étreinte de gloire à qui ne mérite pas de la recevoir.

Te laisseras-tu embrasser au cœur même de ton indifférence et de ton égoïsme?

Ou bien, oseras-tu, comme le grand frère de la parabole, porter un jugement sur les choix et les priorités de l'Amour?

Ici, tu seras tenté de dire: «Mais, est-ce que la loi et les commandements ne sont pas là pour être observés?»

Assurément, mais uniquement pour ceux qui, n'ayant rien compris à l'Amour, se voient dans l'obligation d'entasser les moissons afin d'acheter ainsi l'Amour, au lieu d'accepter la première place à une table qu'ils n'avaient pas à préparer.

L'Apôtre l'a dit: «La loi n'a pas été instituée pour le juste, mais pour les insoumis et les rebelles» (1 Tm 1, 9).

Il aurait pu ajouter aussi «Les commandements», car dans l'amour, on ne procède jamais à coups d'injonctions ou de sanctions.

D'ailleurs, ne t'inquiète pas, quand tu apercevras le visage de ton Dieu tel qu'il te l'a révélé, c'est ton péché lui-même qui prendra la fuite, ne pouvant pas en supporter l'éblouissante lumière.

Une existence parfaitement réussie n'est pas celle qui regorge de bonnes œuvres mais celle dans laquelle peut s'engouffrer la surabondance de la miséricorde.

Au monde de l'Amour, l'héroïsme ne réside pas dans des actes sublimes, mais dans la remise de ton être disloqué entre les mains du Père.

Le comprendras-tu, en régime chrétien, le point d'orgue de toute grandeur est la pleine acceptation de la bonté «déraisonnable» du Père à ton endroit.

Faire la comptabilité du bon et du mauvais, prêter attention au meilleur ou au pire de ta vie est une tragédie lorsque tu es en présence de l'Amour.

Tes mains devront être lavées avant que tu puisses t'approcher de la table puisqu'elles ont été entachées par les moissons que tu désirais présenter au Père.

C'est l'inconvenance de ta présence qui est à la base de la victoire de l'amour.

Tes larmes amères sont les seules à pouvoir donner naissance aux larmes de vie.

* * *

Il importe d'auréoler de lumière chacune des déceptions rencontrées dans tes parcours.

Tu ne seras jamais immunisé contre les larmes, mais ta victoire consiste à donner à chacune d'elles son poids d'éternité.

Tu le sais, tes plus grands bonheurs n'ont jamais été bien éloignés de tes sanglots !

Ce qui laisse soupçonner que ta joie surnaturelle ne doit jamais être séparée de tes racines de pécheur, continuellement noyées dans une indulgence qui t'enveloppe.

Tes larmes ont mission d'appeler sur toi tout le contenu du cœur du Père.

Mais qu'as-tu fait de tes larmes ?

As-tu veillé à ce qu'aucune d'elles ne se perde, et soit habillée de lumière?

Ceci, jusqu'à susciter le scandale chez ceux qui t'entourent.

En te voyant recueillir chacune d'elles comme un objet sacré, ils se demanderont si tu n'as pas «perdu le sens» (Mc 3, 21).

Tes larmes de repentir sont beaucoup plus près du salut qu'un acte de reconnaissance pour une grâce insigne que tu aurais reçue!

Ce serait pour toi un exercice salutaire que de procéder à la compilation de tous les désagréments que tu as à vivre chaque jour.

Il y a là une abondante moisson que tu laisses se perdre.

Tes gémissements, tes découragements, tes recommencements, comme tout cela est difficile à transfigurer!

Tu dois pouvoir convertir ce qu'il y a de plus pénible en perle de grand prix!

Quand tu pleures – et il t'arrive si souvent de le faire! –, pense que tes larmes ne sont pas un froment destiné à remplir les greniers du Père mais à lui faire déborder le cœur.

* * *

Le christianisme n'est pas une religion d'origine humaine.

En Orient, on préconise de longues séances d'immobilité devant un mur blanc, avec le soutien d'une bougie pour accéder si possible jusqu'au nirvana.

Ici, l'effort et la générosité de l'homme sont seuls à jouer.

Ici, rien ne te vient d'ailleurs : tout doit venir uniquement de toi.

Singulière différence entre cette approche qui est la plus parfaite sur le plan humain, et celle que préconise l'évangile quand il te présente comme modèle d'accomplissement plénier un enfant ingrat, chargé de dettes et le cœur mal disposé, mettre la maison en fête en obligeant l'Amour à se manifester dans le plus beau de lui-même.

Ici, à l'extrême opposé de ce qui a cours en Orient, absolument rien ne vient de l'homme, et tout vient de Dieu !

Ici, ce n'est plus en fixant ta bougie que tu parviens à l'apothéose, mais en te laissant rejoindre par le regard de Celui qui vient à ta rencontre.

Ici, pour que tout s'accomplisse, il suffit de ne pas te refuser pas à Celui qui te cherche dans la nuit.

Ta paix n'est pas parfaitement chrétienne aussi longtemps que tu y contribues en quoi que ce soit.

Cette paix repose sur ton fond de perdition continuellement embrassé par le débordement d'un Amour en fête.

Ces deux abîmes sont inséparables !

Dans le royaume, te convertir ne consiste pas à changer tes habitudes mauvaises en actes susceptibles d'édifier tes semblables, c'est là la conversion de l'homme, celle du pharisien qui, après avoir jeûné et prié, doit s'en retourner chez lui non justifié.

Te satisfaire de ce que ta conscience ne te reproche rien ; te reposer sur ton agir irréprochable, c'est te dérober à la conversion du cœur, celle qui ne mise plus que sur l'indulgence infinie de Celui qui t'a aimé et qui s'est livré pour toi (Ga 2, 20).

Il est une forme de conversion qui consiste à changer tes habitudes mauvaises en de meilleures.

Mais l'authentique conversion est celle où tu deviens plus attentif au mal invisible qui t'habite qu'au mal visible qui t'échappe.

Et ce mal profond, tu n'as pas à le corriger – tu en es d'ailleurs bien incapable! – mais à le déposer dans les mains de Celui qui peut l'anéantir en t'embrassant.

Incompréhensible vérité: rêver de devenir irréprochable, c'est porter atteinte à la luminosité de l'Amour!

Tu as connu d'abord la conversion qui t'arrache au péché.

Découvre maintenant celle qui te plonge au cœur de l'Amour, qui seul peut anéantir ton mal.

Te convertir, c'est subir la guérison de ton regard en recevant le baiser de la lumière.

Te convertir, c'est oublier de corriger ton semblable dans l'excès de bonheur que tu éprouves à découvrir, au fond de lui, la perle de grand prix!

Te convertir, c'est découvrir le visage de Celui qui t'aime alors même que tu n'es pas converti.

Inutile, désormais, ta fidélité!

Surcharge que ta générosité!

Ta vertu: un voile posé sur le visage de l'Amour!

L'avais-tu oublié, c'est l'Amour qui sauve!

J'en appelle aujourd'hui à ta propre expérience: lorsque monte en toi le désir de réussir ta vie chrétienne, l'image de la pauvre veuve de l'évangile (Mc 12, 43) est rarement la première qui s'impose à ton attention.

L'essentiel de ce que Dieu attend de toi n'est pas situé dans le spectaculaire.

Tu sais aussi que c'est l'amour qui confère son poids d'éternité à chacun de tes actes.

Mais que de questions, que d'incertitudes, que d'analyses !

La charité a ceci de bien attachant qu'elle ne revient jamais sur la valeur des gestes qu'elle a posés.

L'amour est trop simple pour s'auto-analyser et faire retour sur sa propre conduite, rivé qu'il est sur l'objet qu'il contemple et dont il tire tant de bonheur.

Mais comment savoir si tes intentions sont pures ?

L'indigente aux deux piécettes ne s'attarde pas à réfléchir sur la portée du geste qu'elle pose (Mc 12, 43).

L'amour ne sait même pas s'il aime, et il n'a cure d'en être informé.

Tu te souviens de ce juste qui, pour avoir fait la comptabilité de ses bonnes œuvres devant Dieu, s'en est retourné chez lui bredouille.

Il est permis de faire retour sur tes actes, mais seulement sur ceux qui sont négatifs, sur tes manquements, comme en témoigne ce publicain prosterné au fond du temple et qui, incompréhensiblement, se voit inondé de paix.

L'amour est ainsi fait : dès qu'il touche le cœur, il incline le corps, non sous le poids d'un fardeau qui écrase, mais sous la charge d'un trop grand bonheur.

Cet univers du bonheur, tu ne pouvais le connaître qu'en y étant immergé, à ta surprise, sinon à ton corps défendant !

Le plus méritoire dans le Royaume est d'être sans mérite aucun.

* * *

Sais-tu si l'évangélisation de ton ascèse est chez toi une œuvre accomplie ?

La sainte quarantaine évoque-t-elle pour toi d'abord et principalement une période d'austérité, ou bien une démarche de plus grande intimité avec ton Sauveur ?

C'est uniquement après que tu te seras situé au cœur même du défi chrétien que ton ascèse en arrivera à se donner libre cours sans danger de déviation, et sans la pesanteur du sacrifice.

Elle surgira alors d'elle-même chez toi avant même que tu ne l'appelles.

À vrai dire, le renoncement ne devrait intervenir dans ta vie que par surcroît, comme cela se produit dans un grand amour où, sans avoir rien à sacrifier, on laisse tout tomber de l'accessoire, par excès de bonheur savouré dans une profonde expérience de communion.

* * *

Essaie, si tu veux, de commenter l'évangile des vierges sages et des vierges folles, en expliquant à un auditoire qu'il y a une troisième catégorie de vierges, celles qui sont moins prévenantes que les sages, et plus négligentes que les folles, c'est-à-dire celles qui s'endorment sans avoir fait provision d'huile mais qui ont la certitude au cœur qu'elles n'en manqueront jamais quand l'heure sonnera !

Celles-là ont misé sur le cœur de l'Époux qui, elles en sont persuadées, aura pensé à apporter et en abondance les réserves d'huile dont elles pourraient avoir besoin.

Tu verras alors se dessiner sur le visage de tes auditeurs un sourire de simple amusement au lieu d'y voir couler des larmes de bonheur!

C'est qu'en plus de la générosité et du dévouement, il y a le feu de la contemplation.

Et plus loin que l'observance de la loi, il y a les larmes brûlantes du repentir.

Mieux que la prière fervente, il y a le silence de l'adoration.

Au-delà de la vigilance inquiète, il y a l'attente paisible de l'Amour.

* * *

Si ta vie n'est pas située dans le registre de l'amour, tu n'as pas d'autre choix que celui de travailler comme un esclave, sous la menace des sanctions, parce que, alors, seule la peur du châtiment pourra t'empêcher de dévier, et seul l'espoir de la récompense saura t'encourager au travail.

Mais quand l'amour aura pris possession de ton âme, tu ne corrigeras plus ton agir pour éviter le pire, ni même pour te rendre plus agréable, mais uniquement parce que, en contraste avec la splendeur de l'Amour, la laideur de ton égoïsme te sera devenue insupportable!

L'expérience de l'Amour Sauveur fait jaillir la fête, et ton bonheur dessine des lignes de gloire dans chacun de tes actes.

Ta conduite devient irréprochable sans même que tu aies à y prêter attention.

Tu accèdes alors à une perfection par surcroît, comme t'y invite l'évangile.

Ton entrée dans la fécondité passive déclenche une célébration qui demeure comme sans cause et sans objet, et tu n'as cure de savoir pourquoi les choses sont ainsi.

Intensité de chaleur, sans flamme et sans bruit : braise sous la cendre.

Prépare-toi à accueillir une grande première : le plus beau de tous les actes que tu ne pourras jamais accomplir est celui de ton cœur pacifié !

Tu ne seras jamais aussi fécond qu'en laissant Dieu t'embrasser.

Tes racines malades ne guériront jamais, ce qui te condamne à vivre perpétuellement noyé dans le pardon !

C'est avec le poids immense de ton péché que tu dois apprendre à dormir sur l'épaule du Père.

* * *

L'infime et l'inaperçu ne sont pas des valeurs qui allument facilement ta convoitise !

Mais la vie n'est pas tributaire de la valeur marchande des objets.

Un geste machinal, comme la multitude de ceux qui remplissent tes journées, pourrait te maintenir dans un bonheur éperdu : la pauvre veuve de l'évangile a donné plus que tous les autres (Mc 12, 42).

Apprends-le, ce n'est pas l'insignifiance ou la médiocrité de tes actes qui fait problème.

Ce qui mine ta joie, c'est ta façon de les apprécier.

L'incapacité où tu es de t'émerveiller devant des riens est ce qui explique la désolation qui remplit tes chemins.

Ne pas comprendre cette vérité première, celle qui permet à Dieu d'exulter face à ton indigence, est le nœud de chacune de tes tristesses.

Ce qui remplit tes mains menace de te vider le cœur!

Tu as multiplié les efforts pour donner du relief à tes actes.

Tu as multiplié les conquêtes, mais la satisfaction qui vient de ce que tu peux accumuler a toujours pour compagnes l'inquiétude et la convoitise.

Par contre, la perte de tes moyens et l'inefficacité de tes démarches constituent la voie paradoxale qui te permet de remplir les greniers du Père et de faire déborder en toi la joie qui ne déçoit pas.

Pourquoi tant de luttes quand il suffit d'aussi peu que deux piécettes pour tout accomplir?

D'où peut bien venir en toi ce besoin d'accomplir des missions d'envergure que personne d'ailleurs ne t'a jamais confiées?

Pourquoi ce besoin de relever des défis qui dépassent tes capacités?

Comment expliquer cette torture à laquelle tu te soumets afin de mettre ta personne en lumière en dépassant les autres si possible, et en les éclipsant même au besoin?

Quelle peut bien être la profondeur du désarroi qui t'habite pour t'obliger à te maintenir ainsi toujours au cœur de l'arène?

Tu es en lien de parenté avec les sauvés de l'évangile qui, eux aussi, avaient besoin de tout dévorer avant de se retrouver à jeun aux pieds du Sauveur.

* * *

Il t'a été enjoint de ne pas enlever l'ivraie qui pousse parmi le froment de ton jardin.

Cette recommandation du Maître cache une foule de vérités qui viennent remettre en question ta façon d'intervenir auprès de tes semblables et envers toi-même.

Le monde est là devant toi avec ses famines et ses génocides, ses guerres et ses épidémies et, ce monde, tu l'entends qui appelle à l'aide en disant : « Viens vite à mon secours, non pas cependant en intervenant, mais en pénétrant d'abord jusqu'au fond de toi-même ; laisse-toi purifier par le feu afin que je puisse avoir devant moi un témoin pour soutenir mon espérance d'atteindre, moi aussi un jour, à cette lumière et à cette paix qui t'habiteront alors ! »

Ce n'est pas en intervenant mais en se livrant que le Sauveur a tout transformé.

Chez les humains, la tentation d'intervenir à propos de tout et de rien, dissimule le plus souvent, quoique de façon inconsciente, le refus d'aller jusqu'au bout de l'amour : en délivrant l'autre, en effet, tu acquiers un titre de gloire, en même temps que tu évites de te livrer toi-même.

* * *

L'étonnante béatitude engendrée chez le Berger par la brebis infidèle est une image – une image seulement –

de ce qui t'est offert comme possibilité de rencontre avec ton Sauveur.

Tu avais grandi en milieu chrétien.

Tu avais lu et relu l'évangile pour mieux te pénétrer de son bouleversant message.

Avec ferveur, tu avais imploré Celui qui t'avait ouvert à une grande espérance.

C'est là un premier seuil.

Ta foi s'était nourrie de tout ce qui t'était présenté par le milieu, la culture, l'étude et la méditation des textes inspirés.

Cela, jusqu'au jour où, de l'intérieur cette fois, une lumière jaillit qui te met en contact vivant avec le mystère du Christ.

Dès lors, ce ne sont plus tes actes qui sont premiers; ce n'est plus ta fidélité qui te tient lié à ton Sauveur: tu te découvres prisonnier de la lumière, de l'harmonie et de la beauté.

* * *

Tu es à l'affût du nouveau, car l'habituel te laisse avec un sentiment d'inutilité et de mort!

Pourtant, c'est ce qui se répète qui est à même de te nourrir et de t'intéresser toujours, comme en fait foi le baiser des amoureux.

Une expérience de vie est à l'extrême opposé de ce qui a cours dans la conquête d'un objectif.

C'est ce qui ne change pas qui peut te tenir dans un état d'émerveillement continu.

C'est ce qui est déjà connu de toi qui peut le plus facilement retenir ton attention captive.

Les lois de la vie sont rébarbatives à toute logique, et elles échappent à toute contrainte.

Aspirer à la victoire sur toi-même ou sur les autres n'est pas seulement antiévangélique, mais antihumain!

Te laisser captiver par tout ce qui est réussite, c'est choisir un champ de bataille comme lieu de ton épanouissement et de ton repos!

Tu réagis alors comme si tu n'avais pas le désir de vivre en pleine harmonie avec toi-même!

Comme il est urgent de retrouver le chemin de ta maison!

* * *

Une victoire de vie est sans oriflamme!

Plus une réalité est spirituelle, et plus elle a de valeur, moins elle s'impose aux yeux de la multitude.

La manifestation de l'essentiel est dépouillée au point où les disciples ne soupçonnaient pas que la plus grande des victoires pouvait se présenter à eux sous des couleurs aussi habituelles que celle d'un jardinier, d'un pèlerin ignorant de ce qui s'était passé à Jérusalem, d'un étranger qui, sur la grève, s'amuse dans un feu de braises.

Si le Christ leur était apparu dans une gloire à faire trembler les montagnes, ils l'auraient aussitôt reconnu, mais ils n'auraient rencontré alors que l'envers de ce qu'était l'Amour!

Toute royauté appelle le manteau, le sceptre et la couronne.

Mais lorsque Dieu désire te faire atteindre à la gloire qui ne passe pas, à la gloire qui ne déçoit pas, il commence par te dépouiller de tout ce qui s'est ajouté à toi.

La gloire essentielle, lorsqu'elle existe à l'état pur, est sobre au point où elle ne peut plus rien perdre: c'est l'enfant perdu dont les fautes aux yeux du père n'existent plus; c'est le grand frère dont les moissons sont comptées pour rien.

* * *

Dieu est déçu de toi quand tu exiges trop de toi-même!

C'est là une manière de lui dire qu'il est incapable de suppléer à tout ce qui pourrait te manquer: la robe, l'anneau d'or et les beaux souliers pour celui qui a tout dilapidé.

Une vie lamentablement pauvre a de quoi émouvoir le cœur du Père (Lc 15, 11-32).

Que te suffisent à toi aussi, comme à la pauvre veuve, les deux piécettes qui te restent.

Plus ton offrande est infime, plus elle est en mesure d'éblouir le visage du Père!

Devant Dieu, la valeur de ton offrande est strictement mesurée par la pauvreté que tu as dans le cœur.

« Le présent que tu m'apportes, dit Dieu, est bien peu de chose, mais parce qu'il me vient de toi, il jette dans l'ombre toutes les richesses du monde. »

* * *

Sans que tu le saches, au fond de toi dort une espérance, celle d'être aimé pour toi-même, et tu ne peux en faire l'expérience qu'en étant dépouillé de tout ce qui n'est pas toi.

Au dernier jour, tu devras confesser : «Vois, Seigneur : parce que mes greniers sont absolument vides, tu ne peux te refuser à les remplir, comme tu l'as fait pour Pierre qui avait pêché en vain toute la nuit!»

Alors seulement tu fouleras le sol immuable de la paix promise.

Lorsque tu seras parvenu à cette étape, le mal qui est à demeure en toi ne pourra plus t'affecter.

Il faudra te familiariser avec une étrange qualité de victoire, celle où tu ne seras plus menacé par ton propre mal!

Voilà la victoire du ressuscité que tu es!

Mieux que Pierre qui a pêché toute la nuit sans rien prendre, il faudra t'appliquer à vider ta propre barque de tout ce que tu auras réussi à y entasser.

Un seul obstacle s'oppose à ce que tes filets soient remplis eux aussi des cent-quatre-vingt-trois gros poissons, ton désir d'en prendre un seul par toi-même!

La Vie Nouvelle est jalouse de sa virginité.

Ici, toute richesse ajoutée est un viol : jeûne de pharisien, douze heures de vignerons, labours d'obéissance : quelle entorse aux convenances!

Et la part de virginité que l'on attend de toi consiste à offrir ton mal incurable au regard guérisseur de Celui qui récompense à partir de lui-même, uniquement parce que son cœur est bon.

* * *

En admirant l'héroïsme des martyrs, tu as tendance à mesurer la distance qui t'en sépare, mais ton erreur est de le faire du point de vue de la générosité seulement.

La vérité se situe rarement à ce niveau.

Ce qui te différencie des martyrs, ce n'est pas d'abord le courage exceptionnel dont ils ont fait preuve, mais l'intensité de la charité qui les consumait.

La passion qui les animait était plus forte que la passion à laquelle ils étaient soumis !

Lorsque le cœur est totalement gagné, il arrive que l'impétuosité de l'élan réduise à néant tous les obstacles rencontrés.

Garde-toi de l'oublier : c'est l'amour qui est l'ultime valeur.

C'est l'amour qui consume le péché.

C'est l'amour qui confère leur valeur à tes actes.

La générosité ne conduit pas nécessairement à l'amour, et peut même s'y opposer comme en est témoin l'irréprochable grand frère avec ses greniers remplis.

C'est bien plutôt l'amour qui engendre la générosité.

Et quand prend naissance cette générosité, issue de l'amour, elle se présente sous mode jubilatoire.

L'amour possède cet éminent charisme qui lui permet de transformer le sacrifice en hymne de joie !

* * *

C'est perdre ton temps, tu le sais, que d'expliquer à une personne dépendante de la drogue qu'elle aurait avantage à rompre avec cette mauvaise habitude qui ruine sa santé, grève son budget et entrave sa joie de vivre...

Tu lui parles alors comme si c'était la lumière qui lui manquait.

Mais elle est la première à reconnaître qu'elle vivrait beaucoup mieux en étant délivrée de son esclavage !

Le problème est qu'au fond d'elle-même, elle porte une angoisse qu'elle ne peut apaiser que par ce moyen.

Elle sera libérée de ses liens le jour seulement où la souffrance qui lui vient de son esclavage lui deviendra plus insupportable que celle de l'angoisse qui la déchire à l'intérieur.

Dans grand nombre de cas, les humains n'ont pas le choix entre ce qui est mauvais et ce qui est bon, mais seulement entre ce qui est tragique et moins tragique.

C'est ainsi que «faire la morale», c'est imposer une croix additionnelle à celui qui en a déjà une si lourde à porter!

Il est plus facile de multiplier les bons conseils que de te pencher sur l'inguérissable douleur cachée qui pousse l'individu aux pires excès.

Déviation, dépendance, esclavage ne sont que les symptômes d'un mal plus profond qui couve au fond secret de la personne.

Quand un clignotant rouge indique la présence d'un danger, il serait imprudent de l'éteindre afin d'ouvrir le passage.

De même, lorsque tu t'attardes aux seules manifestations d'une souffrance cachée, tu t'exposes toi aussi à un danger.

Les ravages de l'alcoolisme, par exemple, ne sont là que pour te signaler l'existence d'un mal plus profond chez l'individu à qui tu désires venir en aide.

Or, en cessant de consommer, le malade perdrait le seul langage dont il dispose pour te crier sa souffrance, et serait condamné à demeurer seul avec sa douleur cachée.

Tu te seras donné bonne conscience en ayant averti ton semblable de corriger sa conduite, mais en intervenant de façon mal éclairée, en n'agissant que sur les dehors, tu emprisonnes le malheureux dans le désespoir.

Un médecin peut combattre la fièvre chez son patient, mais s'il en reste là, l'abcès interne qui en est la cause pourra avoir toute la liberté de conduire le malade à la mort.

L'empressement à soulager et à guérir cache souvent un manque d'attention à la véritable souffrance d'une personne.

Lorsque, chez ton semblable, tu auras guéri la cause première du désordre, l'effet secondaire disparaîtra de lui-même.

Il y a plusieurs manières d'approcher le désordre dans les parcours du délinquant.

a) La première est la condamnation pure et simple.

b) On protège l'ensemble en jetant en prison celui qui menace l'ordre public.

c) On s'applique à faire disparaître les symptômes du véritable mal en l'invitant, par exemple, à cesser de consommer.

d) On profite du désordre apparent comme piste pour découvrir le mal sous-jacent, et le guérir si possible.

e) On ira jusqu'à s'abstenir de guérir les effets secondaires pour éviter de laisser la victime seule avec son drame intérieur.

f) À l'image du Christ, on soulage le souffrant en prenant sur soi son mal.

Mystère de la souffrance humaine !

Chez toute personne qui est aux prises avec la douleur, il est une attente inconsciente.

Aussi inacceptable et révolutionnaire que cette affirmation puisse paraître, toute personne qui gémit attend moins de toi – de façon inconsciente, il va sans dire – que tu la soulages de son mal que de pouvoir croiser un regard suffisamment attentif à elle pour mesurer toute l'intensité de la croix qui est la sienne.

C'est bien là que se cache l'attente insoupçonnée d'un être déchiré par l'épreuve : que tous reconnaissent et mesurent la grandeur du mal qui est le sien – ce qu'il importe de ne pas confondre avec le désir malsain de jouer la victime.

Comme si, d'intuition, le souffrant percevait qu'il y a une sorte de noblesse cachée dans le mal qui le déchire et qu'en étant confirmé dans son intuition par ceux qui l'entourent, il en retirait un inestimable réconfort !

L'exemple vient de haut : «Ainsi, vous n'avez pas eu la force de veiller une heure avec moi» (Mt 26, 40), disait le Sauveur durant son agonie.

À ce moment-là, l'Homme-Dieu savait très bien que ses disciples ne pouvaient absolument pas l'aider dans son épreuve et son désarroi, sinon en étant seulement témoins de sa souffrance, sans même en comprendre la profondeur !

Plus manifeste encore, ce passage des Lamentations : «Vous tous qui passez par le chemin, *regardez* et *voyez* s'il est une douleur semblable à ma douleur» (Lm 1, 12).

* * *

Il y a trop longtemps que tu circules à l'encontre des lois de la vie.

Ainsi, on t'a enseigné que tu devais renoncer à toi-même afin de pouvoir aimer.

Mais as-tu pris conscience qu'il y avait là contresens?

Tu as multiplié les efforts et les sacrifices afin de vivre en conformité avec la loi de l'amour, car cette loi te demandait de t'oublier pour penser aux autres.

Mais tu le sais pourtant, quand une personne qui se dit en amour doit faire effort pour aimer, il est permis de s'interroger sur la qualité du lien qui l'unit à son semblable.

Le propre des gestes de l'amour est de jaillir d'eux-mêmes.

Mieux, le renoncement à ses propres intérêts au profit de l'autre devient le meilleur de sa joie, car c'est là un langage lui permettant de traduire à quel point il est pour lui source intarissable.

On répète qu'il est difficile d'aller jusqu'au bout de l'amour.

Quand il t'est demandé d'aimer, tu perçois cette recommandation comme un devoir qui te serait imposé, et non pas comme une aspiration qui demande à jaillir de ton propre fond.

Quand tu acceptes d'aimer, tu ne réponds pas à une invitation: tu ne fais que consentir à un besoin que tu portes en toi.

Et quand Dieu te demande d'aimer, son invitation se borne à respecter le meilleur de ce qui se vit en toi.

Il est désolant de constater qu'une grande partie de ton existence chrétienne est tissée d'efforts pour ne pas manquer à la loi de l'amour.

Et quand, douloureusement, tu choisis de renoncer à tes attraits afin de te conformer à la loi de l'amour, tu qualifies volontiers cette attitude de «généreuse»!

En fait, dans ce cas, devoir te sacrifier, devoir faire effort est bien plutôt la manifestation d'une carence de charité chez toi.

Une telle attitude n'est-elle pas déjà inacceptable dans un simple amour humain?

L'agir d'une personne qui dit en aimer une autre et qui, en même temps, doit s'arracher littéralement à ses centres d'intérêt pour lui accorder un peu de présence, apparaît aussitôt aux yeux de tous, et en tout premier lieu aux yeux de l'autre qui est ainsi laissé pour compte, comme une parodie de l'amour.

T'efforceras-tu alors de faire preuve de générosité en t'oubliant au profit des autres?

Ne serait-il pas plus évangélique de confesser humblement que tu ne sais pas aimer?

Rien de plus grand, rien de plus sublime dans le christianisme que cet aveu paisible de ton impuissance à rendre amour pour amour.

Pour réagir ainsi devant ta faiblesse et ton égoïsme, il te faut avoir eu la révélation que Dieu est celui qui peut aimer qui ne l'aime pas, celui qui peut aimer sans rien attendre en retour.

Scandalise-toi, si bon te semble, mais tu n'es pas dans l'obligation d'aimer, toi qui d'ailleurs en es bien incapable.

Il te suffit de reconnaître l'Amour pour ce qu'il est: absolue gratuité et pur débordement.

Oseras-tu croire que c'est là pour toi la plus sublime façon d'aimer?

* * *

Le savais-tu, tu es dispensé d'une multitude de commandements et d'obligations, et il te suffit d'aimer !

« Celui qui aime autrui a de ce fait accompli la loi » (Rm 13, 8), dit l'Apôtre.

Pourquoi te poses-tu tant de questions ?

Si tu aimes, tu as tout compris !

Pourquoi cherches-tu la volonté de Dieu ?

Si tu aimes, tu as tout accompli !

Lorsqu'il s'agit de la mise en application de la charité, une désastreuse erreur est à l'origine de toutes les difficultés relatives au premier commandement.

Tu t'engages dans le combat sans établir la distinction entre un mouvement d'ordre affectif et un acte de pure bienveillance envers ton semblable.

Et, à cette regrettable méprise, tu ne prêtes guère attention !

La charité surnaturelle n'a absolument rien à voir avec tes attraits et tes répulsions.

Au contraire, c'est précisément le propre d'une charité parfaitement éclairée que d'éviter le contact avec une personne dont la présence t'est pénible à supporter et réciproquement, avec un individu dont les valeurs sont en contradiction avec les tiennes.

Tu peux aimer la nature et tous les éléments qui la composent, mais tu n'iras jamais mettre dans un même récipient l'eau et le feu, sous prétexte qu'ils font partie du même univers et qu'ils doivent en conséquence apprendre à vivre en paix !

Quand une réalité est la mort de l'autre, il y a obligation morale à les tenir le plus loin possible l'une de l'autre.

C'est là faire preuve de respect envers l'une et l'autre. Mais lorsqu'il y va de la charité, on est rarement attentif à cette exigence de la vérité.

Il te faut aimer tout un chacun assurément, mais aimer tous les êtres de la même manière et avec la même intensité, c'est manquer à l'amour.

Souviens-toi de Jean, dont il est dit qu'il était le disciple que Jésus aimait (Jn 20, 2), privilège donc.

Que de maladresses ici, que d'interventions mal éclairées, et surtout que d'inutiles souffrances !

Et encore, au delà de la simple incompatibilité, il y a cette situation si pénible à vivre où quelqu'un étant mal disposé à ton endroit, te veut et te fait effectivement du tort.

Tu te surprends alors à sentir monter en toi le désir qu'une tierce personne lui fasse vivre la même souffrance qu'il t'occasionne, sentiment de vengeance donc, indigne du chrétien que tu es, et te voilà écrasé de culpabilité.

Manque de lumière ici encore, manque de vérité, manque de charité donc !

En effet, si tu désires que ton adversaire connaisse la même épreuve qu'il te fait subir, c'est dans le but de l'éveiller à la douleur qu'il te cause, afin qu'il cesse de te l'infliger, qu'il cesse de pécher ainsi et qu'il vive davantage en conformité avec ce que l'évangile lui demande, à savoir aimer son semblable comme lui-même, toi en l'occurrrence.

Les parents ne conduisent-ils pas leurs propres enfants jusqu'aux larmes parfois pour leur signifier qu'ils ont mal agi?

Ont-ils cessé pour autant de les aimer?

Est-ce là mystère si difficile à comprendre?

L'apôtre Paul, après avoir repris très sévèrement les Corinthiens, devait ajouter : « Si je vous parle ainsi, est-ce que c'est parce que je ne vous aime pas? » (2 Co 11, 11).

Ainsi, il arrive bien souvent que la charité accomplie dans des circonstances pénibles, sera perçue par toi comme un manquement au premier de tous les préceptes du Monde Nouveau.

Pourtant, le Sauveur lui-même a frémi d'indignation devant la mauvaise foi des pharisiens, et son langage alors a été d'une violence à faire frémir?

Cette manière « d'aimer » ceux qui veulent sa perte a tous les dehors du mépris et de la haine, mais cette attitude du Sauveur est fort probablement la plus haute de toutes les formes de charité qu'il a jamais pu accomplir.

En effet, pour sauver ses interlocuteurs mal disposés, il est allé jusqu'à agir en contradiction avec sa nature profonde qui était toute de douceur et d'humilité, comme il le dit lui-même.

Je te le demande, est-il arrivé, une seule fois dans ta vie, d'avoir souhaité du mal à ton prochain pour le seul plaisir de le voir souffrir?

Vouloir le mal pour le mal est luciférien.

Une autre vérité trop souvent oubliée est que la charité, quand elle est bien ordonnée, doit commencer par soi-même.

C'est que la charité te force à mettre de l'ordre en toi d'abord.

Quand, à l'image du Sauveur, tu t'indignes contre ton semblable parce qu'il agit mal, et que cet acte te fait perdre la paix, tu as là le signe qu'il y a un désordre chez toi.

Une saine indignation n'enlève pas la paix!

Le mal le plus grave alors ne consiste pas à avoir blessé ton semblable, mais à t'être blessé toi-même en perdant ta paix.

Comme il y aurait avantage pour toi à mieux comprendre ce que l'exercice de la charité exige de toi.

Aimer surnaturellement ton prochain, n'est rien d'autre que désirer pour lui le bien, et le bien le meilleur, c'est-à-dire la joie de vivre en conformité avec l'évangile.

Tu peux aspirer à ce qu'il te veuille du bien parce que cela est à ton avantage et cette attitude est légitime.

Mais tu peux aussi rêver que ton semblable te veuille et te fasse du bien pour qu'il puisse connaître ainsi la joie de vivre en véritable disciple.

L'évangile lui demande, en effet, d'aimer son semblable, ce semblable que tu es, comme il s'aime lui-même.

Voilà que l'évidence s'impose: aimer ton prochain c'est «désirer» qu'il connaisse la joie de t'aimer et celle de travailler à ton plus grand bien au lieu de persister à te vouloir du mal!

En définitive, aimer ton prochain c'est travailler à ton propre bonheur (charité bien ordonnée commence par soi-même...).

Sous les couleurs du plus pur égoïsme, c'est là le plus pur de la charité.

Tu es en communion avec tes semblables moins par les liens que tu tisses avec eux, que par une même réalité que tous recherchent.

C'est dire que tes sentiments d'attrait ou de répulsion sont hors contexte ici, ce à quoi pourtant tu accordes tellement d'importance, ce à propos de quoi aussi tu te culpabilises si fréquemment.

De même, les différences et les antipathies naturelles peuvent subsister sans que ta communion avec ton prochain en soit menacée ou altérée.

Tu as souvent le sentiment de manquer à la charité lorsque les défauts de ceux qui t'entourent te soumettent à dure épreuve.

Prenons, à titre d'exemple, une communauté de cinq ou six personnes qui auraient entre elles beaucoup d'affinités naturelles, ce qui les amènerait à éprouver de la joie à vivre ensemble.

Un tel groupe passerait facilement pour une communauté chrétienne idéale alors que, le contraire existant, un groupe qui devrait surmonter des obstacles toujours renaissants aurait bien davantage les couleurs typiques de la charité selon le Christ, celles où l'on persiste à marcher ensemble vers un objectif commun, en dépit des irritants qui existent entre les membres, et en dépit des différents qui peuvent surgir.

Sous les apparences d'un échec, peut se cacher un héroïsme qui n'a rien à envier aux plus belles réussites du témoignage chrétien.

Comme si, bien comprise, la charité venait te surprendre dans des chemins qui semblent la contredire.

Tu as la permission de t'arrêter au mal que tu aperçois chez ton semblable, et à celui qui est en toi, après seulement que tu as été immergé dans les eaux d'une indulgence qui désagrège en toi la peur et la culpabilité.

Surgit alors ce miracle où tu deviens incapable de condamner le désordre parce qu'une force a été libérée en toi qui te permet, à l'image de Dieu, de l'obliger à enfanter la vie : « Là où le péché a abondé, la grâce a surabondé » (Rm 5, 20).

À ton étonnement, tu te surprends alors à embrasser avec grande joie tous les porteurs d'abomination, parce que ton baiser a été investi d'une puissance capable de faire jaillir chez le coupable une lumière plus resplendissante que celle qui aurait pu lui venir d'une intégrité sans faille.

Cette victoire est d'une telle qualité qu'elle jette dans l'ombre le geste du Créateur qui, aux origines, faisait jaillir la lumière matérielle à partir du néant : « Il fera des œuvres plus grandes que les miennes », avait dit le Sauveur (Jn 14, 12).

Le baiser de l'Amour est si totalement gratuit qu'il ne s'embarrasse pas de savoir si celui qui est là devant lui est digne ou non de le recevoir !

Le baiser de l'Amour obéit à la seule loi du dedans : il ignore le mal du pécheur, autant que le bien du juste !

Le baiser de l'Amour est limpide au point de ne pouvoir être entaché par son contact avec la putréfaction, dans laquelle il consent à se perdre afin de la transfigurer.

* * *

Tu as à te dégager de chaînes que des siècles de fer ont tissées avant toi.

Tu aspires à ce que l'Éternel ne soit qu'Amour, un Amour qui ne tient pas compte du mal, mais tu lui concèdes encore des attitudes qui cadrent bien mal avec celles de la charité.

Seuls les saints parviennent à être logiques avec leur foi.

L'Amour ne fait jamais trembler, au contraire, il guérit du tremblement.

L'Amour ne suscite aucune appréhension, il va plus loin que tes rêves d'accueil et de communion!

Mais il demeure plus naturel pour toi d'approcher Dieu comme un juge plutôt que comme un Père.

Faire à Dieu un visage d'absolue bienveillance envers toi est le plus redoutable des défis qui puissent t'avoir été proposés.

Trouver admirable qu'il ait consenti à venir marcher à tes côtés, c'est manifester que tu ne le connais pas en tant que charité.

Ton Dieu ne fait pas acte de vertu en descendant aussi bas, jusqu'à toi.

Il glisse tout naturellement là où il convient qu'il soit, à tes pieds pour les laver et les embrasser: c'est là le fond de sa nature parce qu'il est l'Amour.

Quand tu auras compris et accepté que son Amour est plus grand que le tien, il sera devenu normal pour toi de demeurer plus haut de lui.

Ayant moins de charité que lui il est normal que tu éprouves moins de joie à t'abaisser.

* * *

Après avoir entendu tant de commentaires sur cet indépassable récit où un père explique à son aîné qu'il fallait festoyer à l'arrivée du cadet (Lc 15, 32), tu es tenté de dire : « Il convient maintenant de faire silence plutôt que de prendre encore une fois la parole. »

Mais il y a cette logique, voulant que plus un texte de l'Écriture a été commenté, plus il appelle de commentaires !

Il est une loi en vertu de laquelle plus abondamment tu puises à la source, plus elle se montre généreuse envers toi.

Et si tu as l'audace de demander encore et toujours, les veines de la vie se dilateront jusqu'à l'infini pour toi.

Tu constateras alors que tu n'es plus esclave de la source, mais que tu en gères le débit.

Tu ne dois avoir de cesse que le jour où tu y seras toi-même totalement immergé.

C'est manquer de respect envers ta propre soif que de prétendre avoir épuisé un texte lorsque tu l'as longuement médité et que tu en as parcouru tous les commentaires : le meilleur est à venir !

Les passages de l'Écriture qui sont le plus susceptibles de t'apporter du sang neuf sont ceux que tu connais le mieux pour les avoir plus assidûment fréquentés.

Les rencontres les plus enrichissantes ne sont-elles pas celles que tu vis avec les personnes qui te sont le plus proche ?

Lors donc que tu éprouves de la lassitude à revenir vers un passage sur lequel tu t'es souvent penché, tu manifestes ton inaptitude à puiser en profondeur.

Tu reçois en cela la révélation que tu n'es pas mûr pour l'expérience du baiser substantiel, celui où tu puises l'infini dans l'infime et dans l'inchangé.

«Il fallait bien festoyer» (Lc 15, 32), dit le père à son aîné qui s'offusque d'une telle attention accordée à celui qui a si mal mérité.

Comme si la valeur d'une personne pouvait être mesurée à l'échelle de ce qu'elle a accompli en bien ou en mal, et non par son poids d'être qui est inépuisable!

Inépuisable chaque personne, oui, assurément!

Et, s'il n'en est pas ainsi c'est dans la mesure où tu n'atteins qu'en surface les êtres que tu fréquentes.

Et encore, si tu n'atteins ainsi les personnes que par l'extérieur, c'est que toi-même tu vis à la surface de ton être.

Quel prodige: dans cette parabole, le Christ t'enseigne que le jour où tu auras appris à vivre avec toi-même, tu ne pourras plus que t'émerveiller comme lui devant la splendeur cachée chez tous les ratés de la terre, qu'ils s'appellent larron, prostituée, publicain, samaritaine, Prodigue mal disposé ou brebis non repentante!

Peu importent donc les dettes insolvables de tel ou tel individu; peu importent les dispositions intéressées du requérant: un feu est là qui pulvérise tous les déchets qui se sont accumulés à la surface de l'inestimable joyau!

Elle est étroite, la porte qui conduit au Royaume, dit le Sauveur!

En effet, insurmontable défi celui qu'il te propose et qui consiste à te laisser embrasser avant d'avoir eu le temps de te disposer le cœur.

* * *

Il y a la lumière qui t'éveille et fait grandir ta joie.

Et il y a la lumière qui anéantit la haine et la violence.

Ces deux formes de lumière ne sont pas des lumières parfaitement accomplies.

La dernière et la plus haute des lumières est celle qui ne bouleverse rien.

Et c'est là le miracle d'une des vérités les plus profondes qui t'habitent.

Dans la dernière étape de leur accomplissement, les réalités spirituelles, loin d'irradier et d'éblouir, harmonisent plutôt toutes les composantes de l'être et les résorbent dans la paix.

Chez le nouveau converti, les premières manifestations de la lumière brûlent et consument tout ce qu'elles atteignent mais, au terme, tout s'apaise dans la chaleur d'une présence qui réconforte.

Rien ne résiste à une lumière qui fait soudainement irruption, mais dans sa phase finale, elle devient pôle qui attire, réchauffe et unifie : elle n'a plus d'adversaires à combattre : elle règne, inattaquable, et sa seule présence suffit pour confondre toute velléité de mensonge.

Au terme de ton parcours, tu t'étonneras de constater que ta lumière n'avait pas à grandir mais uniquement à être reconnue.

La lumière qui pouvait satisfaire à tes besoins devait venir te surprendre en chemin.

Es-tu destiné à connaître un jour cette autre lumière dont tu n'as ni l'expérience ni l'intelligence ?

À cette question, une seule réponse : si son absence ne te laisse aucun repos, si le besoin de sortir de ta prison te harcèle jour après jour, c'est que déjà cette lumière est en gestation au fond de toi, et que ton « chemin de Damas » ne saurait tarder.

Souffrir de la nuit c'est vivre en plein midi !

* * *

L'apôtre Paul a formulé un souhait qui ne te semble pas destiné, tellement il dépasse tes possibilités : « Ne soyez inquiets de rien » (Ph 4, 6-9).

Est-il réaliste de parler ainsi à un être qui, comme toi, doit circuler au milieu d'un univers à feu et à sang ?

Il est à prévoir aussi que si tu parviens à mettre cette recommandation en pratique, on te pardonnera difficilement une sorte de prétention en vertu de laquelle tu serais placé au dessus de tous ceux qui sont aux prises avec la famine, l'angoisse et la mort.

Comme si le croyant que tu es pouvait bénéficier d'un privilège exclusif.

Cela, on ne te le pardonnerait pas !

Et pourtant, il faut insister et signer : « Je ne suis inquiet de rien ! »

La paix du Royaume n'est pas troublée par ce qui se passe autour de toi.

C'est que cette paix n'a pas ses assises en ce monde.

Ta paix n'est même pas menacée par ce qui peut venir de tes propres lâchetés et trahisons !

Aujourd'hui, tu ne peux savoir ce qu'il en sera de ta persévérance mais ta paix demeure, immunisée contre tes infidélités autant que contre tes victoires.

Il y a en effet ce secret dont tu es porteur, et en vertu duquel la profondeur de ta paix échappe à tes propres estimations.

Non seulement ta paix est à l'abri de tes manquements, mais elle doit devenir aussi stable que la paix de Dieu lui-même, puisqu'en fin de compte tu dois en arriver à te reposer entièrement sur lui.

Oui, Dieu a assumé la gérance de ta paix !

Ton inconstance et tes infidélités lui ont été confiées à l'avance.

Tu es protégé contre toi-même, et par un plus grand que toi !

* * *

Si la mise au monde d'un enfant est le symbole même de toute souffrance, que dire de la naissance à toi-même ?

Mais comment croire au jaillissement spontané de la vie dans tes chemins quand, depuis toujours, il t'a fallu, et si péniblement, tirer l'eau de ton puits ?

Le miracle ne t'est pas habituel, même si cela devrait être la loi première du ressuscité que tu es.

Longtemps encore tu demeureras prisonnier de tes approches même si les fruits que tu as toi-même cultivés t'ont si souvent déçu.

Le signe qu'au fond de toi une source est sur le point d'éclore est la présence d'une tristesse que tu éprouves devant tout ce que jusque-là tu avais convoité avec ardeur.

Tu le constateras alors, au moment où tu pensais être rassasié et n'avoir plus rien à recevoir, ton cœur était en manque, et tu vivais privé de ton pain.

* * *

« L'homme n'est grand qu'à genoux », disait Foch.

Comme le publicain, le pécheur endetté que tu es ne goûtera la paix qu'en se confiant à une indulgence qui ignore toute convenance et toute mesure !

Tout comme l'Église elle-même qui ne peut apparaître belle et sans tache qu'en demeurant prosternée dans l'évidence de ses manquements, perdue de confiance devant Celui qui l'a lavée et rendue immaculée !

Au moyen de quel instrument arrivera-t-on à te persuader qu'une confiance éperdue a infiniment plus de poids qu'une excessive prudence qui calcule, mesure et soupèse ?

Une grande première vient de faire son apparition : la « perfection » a changé de camp !

Le juste n'est plus l'irréprochable qui rend grâce à Dieu de la lumière qui lui a été donnée.

À l'inverse, le coupable n'est plus celui dont la vie est chargée de péchés !

L'indigne désormais est celui qui, misant sur sa raison et sa fidélité, s'imagine être mieux accueilli, niant ainsi l'absolue gratuité de l'Amour : dernier seuil de l'indécence au monde de la charité !

Tu as parfois entendu cette réflexion à savoir qu'aujourd'hui, nous sommes au temps de la miséricorde et qu'au seuil de l'éternité ce sera l'heure de la justice !...

Comme si on désirait effacer les plus belles pages de l'évangile :

a) n'est-ce pas au moment même où l'enfant perdu entre à la maison qu'il est enveloppé de miséricorde;

b) n'est-ce pas lorsque l'enfant confesse son indignité le visage dans les mains de son père qu'il est embrassé;

c) n'est-ce pas au moment où l'enfant, agenouillé sur le seuil, est convaincu d'ingratitude que le père peut instaurer la fête?

Devant l'Amour, le bien et le mal perdent donc leurs prérogatives!

Dans le Royaume, le poids de l'enfant est la valeur unique qui vide les greniers de leur contenu, et l'étable du veau gras, pour faire tout basculer dans la célébration.

La foi «jusqu'à l'inconvenable», défi par excellence, et dernière marche du «podium» de la grâce.

Tu as toi-même rêvé de cette paix bien humaine où, après avoir tout accompli, tu pourrais être en mesure de recevoir un accueil plus chaleureux.

Tu n'étais pas éveillé à l'abomination du mercantilisme dont tu pouvais faire preuve alors!

Tu n'es plus sous la loi ancienne, l'aurais-tu oublié?

Si souvent tu as voulu édifier tes semblables par les beaux côtés de ton vécu, mais l'Amour refusera toujours de t'accompagner sur ces chemins que les humains empruntent volontiers.

Trop longtemps, tu as tenté de réparer le mal dont tu avais pu te rendre coupable.

Le secret est là: lorsque la dette est insolvable, c'est la valeur inestimable de l'enfant qui, seule, peut réparer, et au quadruple, tous les torts qu'il a pu causer.

Si sa présence a de quoi réparer jusqu'à la blessure qui sévissait au cœur de son père, quelle dette pourrait encore subsister?

Après avoir perduré si longtemps dans l'esclavage, tu as mauvaise conscience de te retrouver sous un tel régime d'exception.

Surprise: ce n'est plus par ta générosité que tu peux avoir accès au baiser: ta conduite exemplaire n'a droit qu'à un salaire d'ouvrier.

Le bien que tu accumules risque de te laisser debout sur le seuil, tandis que la lourdeur du mal qui charge ta conscience t'incline sur ce même seuil pour recevoir la vie toujours prête à déborder.

C'est le spectacle du déversement de la miséricorde dans ton être de perdu qui redonnera confiance à tous ceux qui n'ont pas encore l'audace de croire et qui refusent à l'Amour le droit de circuler hors des chemins balisés par une prudence tout humaine.

Quand, à la vue de tes manquements, tu te prends à trembler pour le jour du jugement, tu proclames par là que l'évangile ne t'a rien apporté de nouveau!

L'Amour n'attend rien de toi!

L'Amour n'attend que toi!

Tes infidélités ne changent rien à son attitude envers toi.

Alors tu diras: «Ainsi, je puis pécher sans crainte d'être rejeté par lui!»

Et moi, je te répète que tu as parfaitement raison!

Mais comment prétends-tu admirer la beauté de son visage tout en continuant de contempler la laideur de tes idoles?

Comment crois-tu ne faire qu'un avec la Vérité quand tu persistes à te nourrir de mensonges?

Comment pourrais-tu affirmer avoir été bouleversé par l'étreinte de paix tout en continuant de violenter ta propre conscience?

Si elle est authentique, ta rencontre avec l'Amour donnera toujours un goût amer à ce qui lui est contraire.

Quelle découverte: ton labeur ne sera jamais récompensé, et ta dette insolvable ne servira plus qu'à faire resplendir le visage de celui qui t'accueille dans un acte toujours actuel.

Quelle révélation: l'Amour ne vit pas de ce que tu lui apportes, mais il se nourrit uniquement de ce que tu es.

Le jour où, à tes yeux, ta personne aura une valeur plus grande que ton héroïsme et ta fidélité, tu auras reçu en cela la révélation de ce qu'est l'Amour.

* * *

Si tu as bien compris, il doit devenir évident à tes yeux que lutter pour vaincre tes penchants mauvais est un triste métier d'esclave, combat de l'homme et non pas victoire de l'Esprit.

Et encore, t'efforcer de faire grandir le bien en toi est une œuvre de mercenaire qui risque d'aboutir aux greniers remplis dont la lourdeur te rend inapte à la danse!

Aussi longtemps que les époux ont le cœur en feu, il n'y a pas à t'inquiéter pour leur mutuelle fidélité: le meilleur de leur joie consiste à se sacrifier pour le bonheur de l'autre.

151

C'est par surcroît que ton agir doit se transformer : devoir y travailler c'est confesser que ton regard n'a pas eu accès à la clarté nouvelle.

L'amour est prévenance qui jaillit d'un feu !

Dans la fête de l'amour, l'abondance des moissons est une note discordante, car la seule moisson qui vaille alors est celle qui lève dans le cœur !

Au monde de l'Amour, ce qui te permettrait d'acheter l'héritage t'interdit d'y avoir part, en même temps qu'il tarit la joie de celui qui avait rêvé si grand pour toi, jusqu'à l'inconvenance d'un accueil qui te déstabilise, toi qui étais disposé à marchander.

Dans l'univers de l'Amour, le jeûne lui-même n'est plus ce qui te rapproche de Dieu : il est l'état permanent de celui qui a besoin de bien peu de chose pour subsister puisqu'il est rassasié de bonheur et de paix.

Déstabilisant défi : enfant du Royaume, tu devras être allégé de toutes tes victoires et n'avoir que tes défaites à présenter, car tu ne peux vivre que de ce qui t'est donné.

C'est l'invasion de la lumière qui a mission de t'arracher à tes idoles, et non pas le renoncement à tes idoles qui doit faire se lever ton soleil.

Aussi longtemps que tu prendras l'initiative de fracasser toi-même tes idoles, elles ne feront que changer de visage pour revivre à nouveau.

Il y a un jeûne qui conduit à la lumière, et il y a aussi un jeûne qui fait fuir la lumière.

CHAPITRE 9

PRIÈRE

L'évangile t'invite à examiner ta prière et à mettre en question ta pratique du renoncement et de la pénitence. À tout moment, le danger te guette de sortir des sentiers de la Bonne Nouvelle pour retourner à tes défis humains.

Le Sauveur te met en garde contre une manière de prier et une façon de faire pénitence qui peuvent apparaître comme édifiantes aux yeux des hommes, tout en étant abominables devant Dieu.

Un geste accompli avec cœur et âme est toujours beau : il jaillit sans effort, et est exécuté avec beaucoup de grâce alors même qu'il peut être maladroit comme celui du tout jeune enfant.

L'Écriture te fournit de savoureux exemples de prière.

Souviens-toi de cette conversation où, face à Sodome, Abraham a persuadé Dieu de ne pas détruire le juste avec le pécheur, ce qui ne convenait pas à un être aussi parfait que lui.

Et Dieu a acquiescé à la prudente observation du père des croyants.

Quant à Moïse, il avait tremblé un jour devant la montagne fumante, mais il réagissait ainsi alors parce qu'il connaissait encore bien mal ce Dieu qui lui adressait la parole.

Longtemps après cet événement, quand ce même Dieu était en colère contre son peuple et menaçait de l'exterminer, Moïse s'efforça de l'apaiser en disant : « Les Égyptiens diront que tu ne les as fait sortir d'Égypte que pour les exterminer. » Alors Dieu renonça à faire le mal dont il avait menacé son peuple.

C'est ainsi que Dieu se pliera volontiers aux bons conseils que ta sagesse voudra bien lui prodiguer !

Ton obscurité a donc le pouvoir d'éclairer celui qui est Lumière.

Dieu t'a donné totale juridiction sur lui !

Tout ce qui est pauvre et faible a raison de Dieu.

Tout ce qui est fort le crucifie !

Tu as peut-être la tentation de sourire quand tu vois Abraham ramener Dieu à un peu plus de sagesse et de prudence, mais en souriant ainsi, tu te rends coupable d'irrespect envers le Très-Haut.

En effet, en dépit de tes protestations, tu refuses alors à l'Amour d'agir en conformité avec sa nature, la nature de l'Amour.

Tu t'étonnes de ce que ta prière puisse obliger Dieu à s'agenouiller devant toi.

Et tu ignores qu'en permettant à Dieu d'agir ainsi, tu lui donnes l'occasion de se manifester en vérité, la vérité de l'Amour.

Ce serait pour Dieu être en contradiction avec lui-même que de ne pas être totalement soumis à ton vouloir.

Quand tu te surprends de cette manière d'agir de la part de Dieu, tu proclames alors qu'il n'est pas l'Amour, puisque l'Amour est « serviable » ! (1 Co 13, 4).

Et que dire quand cet Amour est infini ?...

Aussi longtemps que cette façon de percevoir Dieu ne te sera pas devenue familière, tu ne comprendras pas non plus que la plus féconde de toutes les œuvres que tu puisses accomplir consiste à te laisser aimer et à lui permettre de te laver les pieds.

Quel chemin parcouru depuis le Sinaï où Moïse devait enlever ses sandales pour approcher le Très-Haut!

Aujourd'hui, c'est l'heure où ce même Dieu défait lui-même ta sandale afin de pouvoir laver tes pieds et les embrasser.

Es-tu conscient que ta prière a le pouvoir de mettre Dieu à genoux devant toi et, en agissant ainsi, de rendre Dieu à lui-même?

Cependant, à elle seule, ta prière ne peut réussir un tel prodige, c'est la qualité de l'amour que tu as dans le cœur qui peut te conduire jusque-là.

Cet amour n'est pas un mouvement de ferveur sensible, comme ce qui peut se produire dans une relation affective, mais l'offrande de la douloureuse incapacité où tu es de croire à l'Amour.

Prier sans cette disposition du cœur, typiquement chrétienne, est une insulte à ton Dieu, comme le fut la prière du pharisien devant l'autel.

Poser les actes de la prière sans avoir au cœur cette humble confession de publicain est passible d'hypocrisie.

Quand tu pries sans amour, ce sont toujours tes besoins qui sont premiers.

Dans la mesure où la charité te consume, tu deviens attentif aux seuls besoins de Dieu.

Prends garde cependant, car il arrive que Dieu ne puisse accepter d'être premier qu'en se soumettant lui-même à toi, puisqu'il est l'Amour : la première place pour l'amour, c'est sa soumission à celui qu'il aime.

Être premier dans l'amour, c'est se mettre au service de l'autre.

Entrer dans l'univers de la charité, c'est donc apprendre à circuler en sens inverse de tes chemins habituels.

Tu avais commencé par prier Dieu pour qu'il se rende à tes désirs, mais il t'apparaîtra un jour comme celui qui n'a d'autre aspiration que celle de combler tes attentes.

Dès lors, il ne t'est plus nécessaire de le prier, puisque tu reconnais qu'il n'a qu'un désir, celui de te combler.

Il attend seulement tes mains vides.

Plus tu es éloigné de Dieu, plus tu le perçois comme grand et baignant dans le mystère !

Mais plus lui-même s'approche de toi, mieux il se manifeste comme joie, communion et simplicité !

Alors, ton rôle ne consiste plus à supplier Dieu, mais à exaucer la prière que Dieu lui-même t'adresse : « Voici que je me tiens à la porte et je frappe ; si quelqu'un ouvre la porte, j'entrerai chez lui pour souper, moi près de lui, et lui près de moi » (Ap 3, 20).

Parvenu à cette heure, tu n'adoreras plus en te prosternant devant lui, mais en le reconnaissant pour ce qu'il est vraiment, c'est-à-dire agenouillé à tes pieds pour les laver et les embrasser avec grande joie, comme un privilège que tu lui accordes.

Apprends-le, c'est en cela surtout que Dieu est adorable !

* * *

Dans la prière, ton but est de sensibiliser Dieu à ta cause, mais la véritable prière consiste à te convertir à la cause de Dieu.

Or, la cause de Dieu c'est de t'aimer.

Tu n'as pas à gagner Dieu à ta cause, mais à accepter qu'il puisse t'aimer, lui, sans cause.

Elle va te chercher loin, la véritable conversion, la conversion à l'Amour, celle qui n'a rien à voir avec la perfection ou la disgrâce de tes actions, mais qui consiste à apercevoir le visage de Celui qui t'a aimé.

Un premier pas en ce sens consiste à miser sur la gratuité de l'Amour plutôt que sur tes propres dispositions et sur ce que tu estimes bon de lui apporter.

La seule forme de bienséance ici est celle de ton impuissance avouée.

Combattras-tu toujours sur un mode humain seulement, ou si tu parviendras à le faire de manière inspirée?

Il y a grande pauvreté à ne pas connaître le cœur de Dieu, mais c'est pauvreté plus grande encore que de ne pas soupçonner la profondeur de la paix que ton cœur attend.

Il te faut découvrir la richesse qui se cache dans le cœur de Dieu, mais tu ne peux y parvenir qu'après avoir reconnu la profondeur du mal qui t'habite.

Il te faut désarmer Dieu alors que, toute ta vie durant, tu lui as fabriqué des armes pour qu'il s'en serve contre toi: n'en as-tu pas fait le juge qui sanctionne, le Maître qui pèse et qui compte?

Ta prière doit déchirer les cieux, comme disait le prophète (Is 63, 19), et le seul outil qui te permet d'y parvenir, c'est ton cœur en larmes!

Seule la profondeur du baiser qui t'attend te délivrera du besoin d'être aimable pour être aimé.

* * *

Pour accéder à l'autre univers, il te faudra être introduit dans la profondeur d'un silence de vie, unique terreau de toute fécondité.

C'est lorsque tu cesseras d'acquérir que tu pourras être toi-même conquis.

Mais tu ne peux cesser d'acquérir qu'après avoir été conquis!

Est-il pensable qu'un jour, tu puisses éprouver de la joie à voir sombrer dans le néant tout ce que tu avais si laborieusement construit?

Est-il concevable que ta faute elle-même puisse, en étant éternellement anéantie, devenir la plus haute manifestation de cet Amour dont tu es l'objet?

Reste encore le plus inconcevable à proclamer: viendra cette heure, dans ton parcours, où tu t'éveilleras au dernier et au plus beau des secrets de Dieu.

En effet, un jour, toi l'infidèle, tu pourras proclamer à la face du monde que tu n'as jamais cessé d'aimer ton Dieu!

Tu seras étonné d'apprendre que, pour toi, aimer Dieu n'était rien d'autre que consentir à être aimé par lui, ce que tu avais tellement de difficultés à croire, mais qui était pourtant ton aspiration cachée, celle qui aurait pu t'apporter tellement de bonheur et de paix.

Quelle délivrance, aimer Dieu, c'est accepter d'être aimé de lui.

* * *

La vocation de l'homme est de désarmer Dieu !

Et le propre de Dieu est d'être vaincu par l'impuissance de l'homme.

Longue est la litanie des humains qui ont eu gain de cause contre Dieu !

On l'a vu, devant Sodome, Abraham a réussi à persuader son Créateur qu'il perdrait son honneur et sa dignité en exterminant le juste en même temps que le coupable (Gn 18, 16).

Quant à Moïse, il s'est dressé sur la muraille pour empêcher que Dieu n'extermine son peuple infidèle (Ex 32, 11).

Puis, on a entendu Job ramener Dieu à un peu plus d'équité en lui demandant le temps de ravaler sa salive (Jb 7, 19) !...

Quant à toi, tu l'as si longtemps supplié, comme s'il fallait le gagner à ta cause, alors qu'au dire de l'Apôtre c'est lui qui a pris l'initiative de venir te sauver (Ep 2, 3).

Ce n'est jamais dans un élan du cœur et spontanément que tu peux reconnaître Celui qui est immuable aux siècles éternels comme étant l'être le plus malléable qui soit, celui que tu peux faire changer d'idée à loisir.

Pas facile non plus d'approcher celui qui régit le ciel et la terre comme un être plus simple à rencontrer que le meilleur de tes amis, un Dieu « infiniment » simple !

Comme il peut être difficile de vivre en harmonie avec cet attribut de Dieu !

* * *

On ne prend pas contact avec une lumière de vie par le moyen de la psychologie, de la philosophie, ni même par l'exégèse ou la théologie.

Dans l'ordre relationnel, on le sait, il n'est pas nécessaire de posséder une intelligence de haut niveau pour faire l'expérience du grand amour.

C'est par un «toucher», un toucher intérieur, que la vie exige de s'introduire en toi, et cela, sans rien changer à ton roulis habituel, de transformer en un clin d'œil une existence insignifiante et inféconde en un monument de gloire achevée!

Tu agis comme si tout dépendait de toi, mais ta rencontre avec la lumière est moins affaire d'ardeur et de générosité de ta part, que d'une qualité d'attention portée aux plus infimes mouvements de vie qui se manifestent au fond de ton être.

* * *

Ce serait tout ignorer de Dieu que de lui être reconnaissant pour t'avoir prévenu.

Comme si être attentif et prévenir n'était pas le fond même de l'amour qui est sa nature.

C'est méconnaître l'amour que de surveiller ton agir avec l'intention de t'élever, si possible, à son niveau et d'harmoniser ainsi ta relation avec lui.

L'amour fait toujours en sorte que le geste t'échappe avant que tu n'aies eu le temps de te demander s'il convenait ou non de le poser.

Dans la rencontre avec l'Amour, tu es captif de l'émerveillement au point où, devant l'absolue gratuité de ses interventions en ta faveur, tu en viens à tout oublier et à t'oublier toi-même pour n'être plus attentif qu'à lui seul : la manière dont tu lui réponds n'a plus aucune importance, tu en as l'évidence, il est ce qu'il est, et tu ne peux rien y changer.

S'il te faut faire acte de vigilance pour ne pas manquer au protocole de l'amour, c'est dans la mesure où tu n'as pas été initié à sa bienséance.

L'amour n'agit jamais pour gagner le cœur de l'autre, mais uniquement parce que son propre cœur ayant été gagné par l'autre, il ne peut vivre que de ce dernier.

* * *

La loi des béatitudes était trop étrangère à tes chemins : tu avais besoin d'y être longuement initié.

Après leur promulgation, l'ordre des valeurs a été bouleversé.

Dans l'univers de l'Amour, la justice sévit en embrassant le coupable.

Là, le jugement se convertit en explosion de joie !

Et la purification consiste à te laisser revêtir de la plus belle robe.

Ce renversement est si radical et si inattendu qu'après des millénaires de christianisme, les racines anciennes allaient continuer de te maintenir sous le régime de la férule et des sanctions, de la récompense et de la punition.

En toi, le « naturel » se plie difficilement aux rythmes absolus de l'indulgence et de la mansuétude.

Tu as toujours estimé comme une grave inconvenance le fait d'obliger l'Amour à se soumettre à tes ordres.

Pourtant, l'Amour est entre tes mains comme une pâte, malléable à l'infini.

Ta mission de croyant consiste donc à inverser l'ordre du jugement et à faire en sorte que sa Puissance soit soumise à ta faiblesse.

Il te faut faire de Dieu le prisonnier de ta prière.

Ce mouvement de « l'inversion de la prière » tarde à s'opérer chez toi.

Tu n'oses accéder à cet univers où la bienséance qui a toujours été la tienne n'est plus de mise.

Une question persiste, venant de ton cœur inquiet.

En effet, l'histoire te laisse entendre que des croyants ont pu renier leur foi, comme l'empereur Julien l'apostat, par exemple.

Comment peux-tu avoir la certitude d'être à l'abri d'un tel naufrage?

Tu dois en arriver à pouvoir dire : « J'en ai la conviction, non ! jamais pareille catastrophe ne pourra survenir dans ma vie de croyant ! »

Dans l'hypothèse, en effet, où ce drame pourrait advenir chez toi, tu as aujourd'hui la liberté de te protéger contre une telle éventualité.

Tu peux dès maintenant rédiger ton testament spirituel où tu demandes au Père de ne pas tenir compte d'un éventuel refus de ta part, et tu prends la précaution d'ajouter que ce testament ne devra jamais être altéré ni révoqué, ni par toi-même ni par d'autres.

Et ce testament, tu l'écris sur la paume même de la main du Père, là où toute ligne tracée devient ineffaçable, immuable comme Dieu lui-même !

Tu as donc aujourd'hui la liberté de te protéger contre ta propre inconstance et contre une éventuelle infidélité de ta part.

Admirable économie de la grâce!

* * *

L'unique dignité que tu peux avoir devant Dieu consiste à lui présenter ton cœur encore insuffisamment converti à la loi de l'amour.

Bouleversante affirmation: tu es aussi profondément pécheur quand tu n'as rien à te reprocher qu'au moment où tu as scandalisé tout Jérusalem (Jn 12, 3).

En effet si, devant les hommes, tu es coupable à la mesure des fautes que tu as pu commettre, devant Dieu tu es pécheur au niveau de tes «racines», à la mesure du mal dont tu pourrais te rendre coupable si, comme l'apôtre Pierre, tu étais mis soudain devant un défi qui semble dépasser tes forces (Mt 26, 69-75).

Quelle nouvelle: devant Dieu, tous sont également pécheurs!

Tout est perdu, et tout doit être sauvé!

La Mère de Dieu elle-même ne fait pas exception à cette règle, car avec la lumière dont elle a été inondée, elle est, mieux que tous les autres, à même de mesurer la profondeur de l'abîme d'où elle a été tirée par un exceptionnel privilège.

Ce qui donc la distingue de nous n'est pas sa suréminente vertu, mais le fait d'avoir davantage conscience d'être sauvée.

* * *

On t'a habitué à une forme de combat qu'on pourrait qualifier de «linéaire».

Tu t'es lancé à la poursuite d'objectifs, alors qu'il s'agissait de regagner ton centre.

Péniblement, tu as continué ta route, alors que tu étais invité à entrer à l'auberge pour tout comprendre, à partir du geste le plus simple qui soit, celui du pain rompu (Lc 24, 13-33).

Tu attendais un résultat qui devait surgir au bout de tes démarches, alors qu'il fallait te rendre attentif au miracle qui se produisait déjà en toi, celui d'un feu qui consume.

Tu as cherché à tout comprendre alors que tu pouvais tout apprendre dans le baiser qu'il te fallait recevoir.

Tu avais compté sur ta générosité et sur l'abondance de tes moissons, mais tout cela t'a laissé le cœur à vide.

Tu avais travaillé comme un fidèle ouvrier en oubliant que tu étais l'héritier!

Tu t'étais soumis à la loi alors que tu en étais toi-même le législateur.

Tu as agi comme un aveugle en quête de lumière, alors que tu avais mission d'illuminer tout ce qui t'entourait: «Que votre lumière brille aux yeux des hommes» (Mt 5, 16).

Tu t'es soumis aux commandements, mais tu devais élaborer toi-même un code de lois, respectueuses de ce qui dormait de plus beau en toi.

Tu t'es avancé vers un objectif à atteindre, quand il suffisait de t'arrêter pour le voir venir à ta rencontre, comme la vague qui vient mourir à tes pieds.

Crois-le, sur le seuil de la demeure, ce ne sera pas ton indignité qui fera problème, mais la méconnaissance de la source à laquelle il fallait t'abreuver.

Elle sonnera, cette heure où le travail de toute ta vie t'apparaîtra comme une inutile corvée.

Quand le rayonnement de l'Amour remplira tes horizons, ton obéissance et ton blé ne seront rien d'autre que tache d'huile sur ton visage de lumière.

Tu n'étais pas construit pour te plier à des ordonnances mais pour mettre l'univers à tes pieds, et cela, sans jamais le dominer, en lui accordant seulement le privilège de te servir.

* * *

Un jour, dans ton jardin, tu t'es émerveillé d'apercevoir là une fleur qui avait levé sans tes soins.

Tu l'as trouvé si belle que tu as tenté d'en faire une reproduction.

Résultat : une décevante fleur de papier !

Impossible de faire surgir l'irremplaçable arôme qui se dégageait de la fleur vivante !

C'est ainsi que ce qui vient de tes efforts et de tes réussites ne pourra jamais que te décevoir.

C'est là une très parlante image de ce qu'il t'est donné de vivre quand tu parviens à faire la différence entre une poussée de vie jaillie du dedans, et les bonheurs que tu peux te construire.

Une seule expérience de cette nature engendre au fond de l'âme une inguérissable cicatrice de gloire.

Une nostalgie s'installe alors à demeure en toi.

Paradoxalement, tout ce qui, jusque-là, avait pu susciter ton enthousiasme, entre soudain dans la pénombre :

ayant découvert la perle de grand prix, il ne t'en coûte plus désormais de vendre toutes celles que tu possédais, car leur présence t'importune alors.

* * *

La terre est remplie de violences et de conflits.
Mais ce n'est pas là le drame qui doit d'abord retenir ton attention.

Un admirable secret est caché au cœur de tous les êtres meurtris qui ne connaissent aucun repos et qui viennent perturber l'aisance tranquille de ceux qui ne sont pas atteints par la brûlure d'un feu qui tourmente au-dedans.

Un enfant ingrat, une prostituée, un samaritain ou un tueur, peu importe, à tous ces êtres déchirés, la lumière n'aura jamais manqué : c'est elle au contraire qui les aura poussés sur des chemins de perdition pour les faire aboutir en fin de course dans la gloire d'une transfiguration qu'inconsciemment ils avaient toujours avidement recherchée.

* * *

Tu bénéficies de cet inestimable cadeau qu'est la vue.
L'étonnant est qu'en dépit de la même qualité de perception chez deux individus, ce qui sera aperçu par chacun d'eux pourra varier parfois jusqu'à l'infini.

Ainsi, dans la parabole, le même enfant est cause d'une joie indicible chez le père et objet de mépris de la part de l'aîné.

Je te le demande donc : en quoi peux-tu faire confiance à tes yeux qui semblent bien, dans tout ce que tu aperçois, te présenter ce qui leur chante ?

Il te faut être attentif au fait que si c'est ton œil qui te met en contact avec les objets, c'est ce que tu as dans le cœur qui peut t'ouvrir à ce qui se cache dans les êtres et les choses.

En toute réalité, il y a les apparences et il y a le mystère.

Les apparences changent, elles t'attirent ou te répugnent.

Mais le mystère, lui, a une densité éternelle et immuable, le découvrir c'est plonger au cœur de la vie.

* * *

Une évidence est là : après être sorti des eaux du baptême, le ressuscité que tu es, comme tous ceux qui t'ont précédé, n'a pas réussi à transformer la face du monde !

Aux yeux de tous, le bouddhisme et sa non-violence ont bien meilleure presse que le christianisme entaché par les guerres et l'Inquisition, par l'esclavage et les scandales.

La réussite du yogi n'est-elle pas supérieure à celle de milliers de croyants, lui qui se montre respectueux de la nature au point de n'écraser aucune bestiole ?...

Alors, quelle humiliation pour toi, l'enfant du Royaume !

Avec angoisse, tu t'interroges : « L'Amour aurait-il souffert en vain ? »

Le plan des hommes n'a-t-il pas mieux réussi que le plan de Dieu ?

Mais garde ta paix : les victoires de l'Esprit ne s'inscrivent pas dans les pages de l'histoire humaine.

Qui te dira en quoi consiste la grandeur «hors normes» du christianisme, lui dont les victoires se situent aux antipodes de celles du monde?

Pourquoi la victoire de l'homme psychique est-elle beaucoup plus spectaculaire et enviable que celle des enfants de Dieu?

Pourquoi Dieu s'emploie-t-il à décourager la réussite de l'homme en renvoyant les mains vides celui qui a accompli tout ce que la loi lui avait prescrit d'accomplir (Lc 17, 9-14)?

L'homme mise sur sa fidélité, mais la réussite du croyant réside dans ce qui se cache dans le cœur du Père (Mt 20, 14-16).

En exposant ta faute au regard de l'Amour, tu aperçois son visage soudainement traversé de lumière et de joie : il n'aperçoit alors que le visage de l'enfant que tu es, et cette nourriture lui suffit.

La seule victoire à laquelle tu dois aspirer est de faire ressortir le plus beau du visage de Dieu en l'obligeant à embrasser ton visage sans beauté.

C'est là, et là seulement, que peut reposer ta paix, inaltérable, celle-là!

Il n'y aura jamais de jugement pour ceux qui gémissent et qui pleurent sur leur vie ratée!

Il te reste à choisir entre une existence exemplaire et ce qui est susceptible d'illuminer le visage du Père, à savoir l'enfant ingrat qui, en toute confiance, se jette à ses pieds.

L'évangile t'invite à faire la comptabilité de tes larmes et à en mesurer l'ampleur et la densité.

Quelle nouvelle, le défi consiste moins pour toi en l'absence de la faute qu'en la profondeur de tes sanglots.

Le désordre le plus indéracinable chez toi est le combat entre la loi à observer et les larmes à verser.

Ton cœur demeure divisé entre ces deux royaumes.

La loi continue d'occuper beaucoup d'espace dans tes parcours!

Cependant, bonne nouvelle: tes larmes peuvent anéantir ton mal, et elles suffisent à la tâche, alors que la loi y est impuissante: «Personne ne sera justifié devant lui par la pratique de la loi» (Rm 3, 20).

Surprise «comptable» ici: tu n'es pas plus parfait lorsque tu agis avec grande perfection!

Et si tu dois te surveiller et faire effort pour bien agir, c'est dans la mesure où tu as perdu contact avec la source.

C'est quand tu aimes avec ardeur que, par surcroît, ton agir s'auréole de lumière.

C'est là l'effet normal du bonheur!

La perfection de l'agir est souhaitable certes, non cependant pour te rapprocher de l'Amour, mais uniquement comme manifestation du fait que ton cœur est en feu.

Mais si tu aspires à poser des gestes parfaits dans le but de manifester que le feu est en toi, cette attitude devient plus néfaste que tes manquements eux-mêmes.

T'efforcer d'agir correctement pour te donner les apparences de l'amour est une mascarade indigne du baptisé que tu es!

Tu ne peux négocier ton bonheur qu'au moyen de tes larmes, et il ne te suffit pas de les verser, il te faut en venir aux larmes «inspirées».

Ces larmes «inspirées» ont besoin d'un climat: elles couleront en vain si tu n'es pas incliné dans l'adoration silencieuse et «béatifiante»: «Tout en pleurs, elle se mit à lui arroser les pieds de ses larmes» (Lc 7, 38).

Il faut te prosterner non parce que l'Amour attendrait ce geste de ta part, mais parce que l'Amour est dense au point d'incliner tout ton être comme urne d'albâtre et l'amener à déverser son contenu sans compter.

Tu demeures sevré de la vie si, devant l'Amour, tu sens l'obligation de lui rendre quelque chose en retour: le flot doit jaillir du dedans.

Et encore, pour être dignes de béatification, tes larmes se doivent d'être versées dans le secret, et leur beauté doit demeurer invisible à ton propre regard!

L'intuition de ce qu'est l'Amour, dégagé de toute condition, est l'unique disposition requise pour entrer au cœur de la communion qui t'attend.

Il importe d'apprendre à pleurer sur la beauté de cet Amour qui t'attend, et de le faire avec des larmes si abondantes qu'elles en viennent, en t'aveuglant, à te rendre incapable d'apercevoir le mal qui est en toi et, plus encore, le bien que tu aurais pu accomplir.

Il est urgent d'apprendre à pleurer sur la beauté de l'Amour, non pour que s'ouvrent devant toi les portes de la Cité Bienheureuse, mais parce que l'Amour n'exige pas que, par tes larmes, tu puisses mériter ton entrée dans la gloire!

Prépare ton cœur au grand revirement.

Au règne de l'Amour, le mal ne te menace en rien!

Au règne de l'Amour, le bien ne t'avantage en rien !

* * *

Marche ultime d'un inconcevable podium : l'Amour est si oublieux de soi qu'il ne peut être maintenu hors du néant que par l'intensité du regard admiratif que tu portes sur lui.

Puisqu'il est dans sa nature d'être totalement oublieux de lui-même, l'Amour ne peut subsister que par la qualité de l'attention que tu lui portes.

Et plus cet Amour est grand, plus, à ses yeux, tu es seul à exister devant lui.

L'Amour t'a créé, mais c'est toi qui, en le contemplant, peux le maintenir dans l'existence.

Si tu adhères péniblement à une telle affirmation, souviens-toi qu'un jour, l'Amour est mort, hors des murs de la ville, parce qu'on avait refusé de le reconnaître et de le contempler !...

Il t'a été recommandé d'aimer jusqu'au don de ta propre vie.

Mais, comme Marthe à Béthanie, tu oublies qu'il est une forme plus éminente de dévouement que celui qui consiste à préparer la table pour l'Étranger qui a faim : te rassasier toi-même de Celui qui vient te visiter est la meilleure façon de le recevoir et de l'alimenter.

La plus sublime manière de donner ta vie, l'acte donc du plus grand amour, consiste à t'oublier de bonheur et à te nourrir de la beauté de l'Amour, à maintenir l'Infini de l'Amour hors du néant par l'intensité de ton regard fixé sur lui.

Il est inconcevable pour toi de penser que l'absolu de l'Amour puisse être ainsi dépendant de toi!

Le sentiment de mort provoqué par l'infidélité dans un amour humain est le signe de ce devoir qui est le tien et qui consiste à maintenir ton regard fixé sur l'Amour pour le maintenir dans l'existence.

Mais aimer, tu le sais, c'est être à la disposition de l'autre pour prévenir ses moindres désirs et en éprouver un bonheur si grand que tu en oublies tes propres besoins.

Et, très paradoxalement, ce geste de contemplation atteint son sommet lorsque, dans la foi dénudée, tu persistes dans ton attitude en n'apercevant rien de la gloire de l'Amour.

Il y a au fond de toi ce que l'on pourrait appeler «la mémoire de l'Amour», celle qui n'oublie jamais, celle pour qui, à l'inverse de notre faculté de mémoire, le souvenir devient plus vivant à la mesure même du temps qui s'écoule.

C'est cette admirable faculté qui te permet de croire sans avoir besoin de voir.

Dans l'ordre affectif, une personne est bouleversée par ce qui, chez l'autre, n'est pas apparent, et l'on sait que vivre cette expérience est source du plus grand des bonheurs, un bonheur qui, de surcroît, surgit sans l'ombre d'un effort.

Dans l'ordre de la foi cependant, le bouleversement vient non pas de ce qui est caché dans l'Inconnu, mais de ce qui dort de plus précieux en toi, c'est-à-dire le baiser des origines, l'effigie du visage du Père au moment où il t'a sorti du néant.

Il y a en toi cette «mémoire de l'Amour» qui te rappelle sans cesse cette empreinte laissée sur ton visage : c'est elle qui engendre en toi la nostalgie de l'essentiel.

* * *

Avec la proclamation de la Bonne Nouvelle, te voici face à une révolution majeure, celle où un pardon est accordé, indépendamment de la gravité de la faute que tu as commise, et en dépit des mauvaises dispositions qui sont les tiennes !

C'est là un phénomène jusqu'alors jamais observé !

Pour le vivre, il te faut sortir de ton pays et entrer dans une terre nouvelle.

Parce que tu es toi-même incapable d'un pardon inconditionnel, tu t'évertues à trouver des exceptions à cette manière de faire ; tu t'efforces de minimiser la portée d'une telle annonce ; en un mot, tu cherches à rabaisser, si possible, les dispositions de Dieu à la hauteur des tiennes car, à tes yeux, il ne convient pas que Dieu aille aussi loin avec le pécheur que tu es !

En réagissant de la sorte, tu laisses entendre que ta manière de faire serait devenue le barème universel auquel Dieu lui-même aurait avantage à se soumettre.

Mais Dieu «pardonne à cause de lui-même» (Is 43, 25).

Cet univers d'un pardon accordé sans l'ombre d'un effort, étranger à la loi du dépassement, cet univers, il se vit au cœur de ton être, et tu te défends contre son emprise libératrice, car il vient en contradiction avec ta manière de faire et celle de tes semblables.

Si cette loi d'un pardon qui coule de source n'est pas la tienne, ce n'est pas que tu ignores qui est Dieu, mais que tu ne te connais pas toi-même : c'est le fond même de ton être qui appelle cette législation révolutionnaire qui est à l'origine de la liberté nouvelle.

Le rôle de l'évangile a été de t'y éveiller seulement.

Grave erreur de ta part, et manque de vérité que de t'imaginer Dieu comme ayant plus de difficulté à te pardonner lorsque tu es coupable d'un plus grand délit!

Et erreur plus grave encore celle qui consiste à te sentir davantage en paix lorsque tu n'as rien à te reprocher, et que tu as accompli tout ce qui t'était demandé, comme si ta paix devait se mesurer à l'aune de ta fidélité.

«Je pardonne à cause de moi-même» (Is 43, 25), dit Dieu.

De même pourrait-il ajouter: «J'aime à cause de moi-même.»

Enfin: «Je te choisis, toi, et je t'aime à cause de moi-même»!

Paix inaltérable!...

Devant quel monde étrange te retrouves-tu soudain, toi qui as toujours été influencé par le positif ou le négatif de tous ceux qui t'entourent!

Il est impensable d'en arriver un jour, comme ton Dieu peut le faire, à te déterminer uniquement par toi-même, et de n'être jamais influencé par ce qui est extérieur à toi, personnes ou événements.

C'est pourtant en cela que consiste ton appel.

Tu as été créé à son image, ne serait-il pas normal que tu lui sois rendu conforme aussi dans ton agir?

Tu ne peux connaître Dieu que dans la mesure où tu vis toi-même l'expérience qui est la sienne.

Or, il pardonne uniquement parce que c'est le fond de son être qui y incline.

Il n'a pas, comme toi, à faire preuve de générosité et de dépassement pour agir ainsi.

C'est donc une erreur de dire que Dieu est « miséricordieux ».

La vérité est qu'il « est » miséricorde, et non pas un être qui, comme toi, peut faire des actes en ce sens.

Dieu ne connaît pas le dépassement.

Dieu n'est pas généreux.

Dieu n'est pas vertueux.

Dieu ne peut être que lui-même, source éternellement jaillissante !

* * *

Tu accuses souvent la lumière d'être absente de tes chemins, mais le véritable désordre est que la vitalité de ton espérance est en berne.

Tu avances dans tes parcours comme si tu t'étais habitué à la disette, et que cette part qui est présentement la tienne était celle qui devait te convenir.

Comme si le baiser à recevoir n'avait plus d'attrait pour toi !

Mais Dieu a une dette envers ta personne : il t'est redevable d'un baiser auquel tu n'as aucun droit !...

Il est une réalité qui demeure et qui te sauve : les miettes dont tu aimerais te satisfaire laisseront toujours au fond de toi une traînée de nostalgie.

Ce malaise manifeste la présence en toi d'un autre appel.

Tu es incapable d'identifier le pain qui te rassasierait.

Tu ne connais que la douleur de sa privation.

Ce malaise, l'évangile l'a magnifiquement baptisé en proclamant bienheureux ceux qui pleurent (Mt 5, 3.5).

Toutes larmes, larmes de privation, larmes d'échecs subis, larmes d'amours déçus, sont en elles-mêmes un sommet de prière.

Et voici le plus beau du spectacle: dans ta prière, le cri de tes racines parlera toujours plus fort que celui de tes lèvres et de tes aspirations mal éclairées.

Tu peux dormir en paix, le meilleur de toi se chargera de venir briser tes rêves trop courts, pour exiger qu'en toi s'accomplisse le rêve de Dieu.

Remarque que c'est en l'absence de tout regard humain que le Christ est sorti du tombeau.

De même, c'est quand tes larmes de pauvre couleront sans témoin qu'elles acquerront une valeur inestimable.

As-tu jamais prêté attention à la beauté de tes larmes?...

Quand elles coulent, tes larmes, ton premier réflexe est de trouver deux mains compatissantes pour y cacher ta détresse.

Mais le Seigneur a dit: «Quand tu jeûnes, parfume-toi la tête» (Mt 6, 17).

Il aurait pu ajouter: «Quand tu pleures, que tes larmes se perdent, silencieuses, comme ce parfum de grand prix qui a été répandu un jour sur mes pieds» avant de disparaître dans la terre.

Tes larmes se doivent d'être ainsi gaspillées.

Larmes perdues, larmes inutilement répandues, larmes versées sans témoin, voilà le parfum de grand prix: scandale aux yeux d'un monde fermé aux lois révolutionnaires de l'Amour!

La plus grande certitude que tu puisses avoir d'être vivant, est que ta soif demeure.

La soif inassouvissable est le sceau de l'emprise de Dieu sur ton âme.

Ce sentiment de la séparation, tu tentes par tous les moyens de t'en délivrer.

Mais, un jour, tu comprendras que c'est là précisément le baiser de feu qui t'avait été promis.

L'intensité d'une soif jamais rassasiée est un langage immunisé contre toute illusion.

Allons, il y a trop longtemps que les miettes te suffisent!

Tes rêves t'ont menti, vas-tu persister à leur faire confiance encore et toujours?

La preuve que ta coupe n'est pas remplie est que tu ne cesses de rêver.

* * *

Il arrive que la trop grande charge de vie dont peuvent être porteurs ceux qui vivent près de toi, lorsqu'elle se révèle soudain à tes yeux, te menace, alors qu'elle devrait être perçue comme un enrichissement pour toi.

Comme conséquence de cette réaction, tu te culpabiliseras volontiers: avoir de telles réactions face à l'un de tes proches, ce que l'on qualifie de jalousie, attitude détestable s'il en est!

Mais as-tu seulement songé que si, avant de t'accabler, tu avais la sagesse d'aller jusqu'au bout de la vérité, ton fardeau en serait de beaucoup allégé.

Il serait plus indiqué, en effet, de faire preuve de compassion envers ta propre détresse intérieure dont cette réaction négative manifeste la présence.

Ce n'est pas en t'accusant d'avoir des sentiments aussi bas ou en cédant au dépit que tu parviendras à corriger tes travers, mais en faisant la vérité sur toi-même et en t'accueillant avec une indulgence proche de l'évangile.

Une personne qui aime n'accable jamais, elle voile le négatif qui est dans l'autre et cherche à mettre en lumière ses moindres aspects positifs.

Tu t'imagines être plus près de l'évangile en te jugeant toi-même avec beaucoup de sévérité.

Un seul remède est à même de panser tes blessures, et éventuellement de les guérir: accepter d'être aimé.

L'urgence est de t'apprivoiser à l'amour au point d'agir avec compassion face à tes propres manquements.

Tu objecteras que te pardonner et t'excuser ainsi, c'est ouvrir la porte au relâchement et à la permissivité.

C'est qu'il y a un temps pour guérir en sévissant contre le coupable que tu es, et il y a un temps pour guérir en te pardonnant à toi-même, ce qui n'est pas du relâchement mais la plus haute forme de conversion qui soit!

On a vu le Sauveur accabler les docteurs de la loi avec la dernière violence, dans la mesure où ces derniers se fermaient à la lumière, et on l'a vu faire preuve d'une bonté sans mesure envers les pécheurs ouverts à son action salvatrice.

Ainsi, l'indulgence encourage le mal chez celui qui n'est pas ouvert à l'Amour, et la même indulgence opère des miracles de transformation chez ceux qui n'y ferment pas leur porte!

* * *

Tu auras beau lire l'évangile, tu n'accepteras jamais comme une situation normale de voir le berger éprouver une joie plus grande lui venant d'une brebis délinquante, que pour tout le troupeau demeuré en toute soumission à l'intérieur de l'enclos.

Avec tes semblables, il est peu fréquent de pouvoir vivre des rencontres au niveau des racines profondes.

Mais, si un obstacle surgit et t'oblige à pousser au-delà des horizons restreints qui sont habituellement les tiens, il t'arrivera d'atteindre parfois jusqu'au mystère de la personne que tu rencontres.

Le lien qui t'unit alors à elle devient éternel, et il est à l'abri de toute brisure.

T'abreuver ainsi en permanence au mystère de l'autre est une rare expérience qui te permet de balayer tous les aspects désagréables qui nagent en surface.

Les côtés négatifs demeurent, mais ils sont comme résorbés dans un océan de lumière et de bonheur.

Longtemps tu avais estimé que l'injustice des autres et leur rejet pouvaient empêcher ton bonheur de naître et de grandir.

Ce fut là l'erreur de ta vie!

Cette loi de ton cœur profond sera-t-elle la dernière que tu consentiras à reconnaître et à accepter?

C'est pour l'avoir oubliée qu'il t'a fallu tellement lutter pour parvenir au bonheur plein et immuable.

Ton bonheur se doit d'être autonome.

* * *

Tu ne serais jamais déçu de personne si tu pouvais atteindre tes proches jusque dans leur mystère.

S'il t'est pénible parfois de vivre parmi les humains, c'est moins parce qu'ils te seraient désagréables dans leurs manières, qu'en vertu du manque de profondeur du regard que tu poses sur eux.

Il te faut atteindre jusqu'à leur fond de lumière qu'eux-mêmes souvent sont les premiers à méconnaître.

Il s'agit de comprendre que leurs défauts ne sont pas des obstacles à une intense vie de communion avec eux, mais une invitation qui t'est faite à pénétrer plus avant chez eux afin de les atteindre jusque dans leur centre de lumière.

Quand tu côtoies des personnes avec qui il fait bon vivre, tu n'es pas dans l'obligation d'aller au-delà des apparences et d'avoir accès ainsi à ce qu'il y a de plus précieux en elles : leur extérieur est suffisamment riche pour satisfaire à tes attentes.

Si tu avais la grâce de vivre toujours avec ce « beau monde », tu risquerais de devenir prisonnier du superficiel et du transitoire.

Une sève de vie choisit de demeurer dans l'ombre, et requiert une attention soutenue pour y être détectée.

Tu t'arrêtes d'abord à ce qui paraît.

C'est dans un second temps, et avec effort, que tu parviens à plus de profondeur.

Ton intérieur doit être purifié de toute convoitise et de toute crainte pour atteindre tes semblables jusque dans leurs zones immuables de vérité, là où ils ne peuvent jamais te décevoir.

Le jour où ce miracle se produit, le fond dernier de l'individu étant atteint, ses défauts de surface sont instantanément transfigurés par la lumière qui émane de son intérieur : c'est le miracle !

Comme dans l'Amour, les ténèbres se changent alors en lumière.

Savais-tu que ton regard ne peut apercevoir que ce dont ton cœur a besoin pour vivre ?

Ce que tu atteins dans toute réalité rencontrée, te révèle donc ce à quoi tu aspires.

CHAPITRE 10

DIEU

Il est une façon de connaître le Christ qui s'apparente à la manière dont tu connais les humains qui t'entourent, c'est-à-dire en prêtant attention à leurs gestes et à leurs paroles, à leurs qualités et à leurs défauts.

On peut, en effet, connaître le Christ comme thaumaturge, comme libérateur, comme prophète, ou encore comme celui qui est proche des pauvres, des petits et des humbles, sans pour autant parvenir à sa véritable connaissance.

Réduire ton admiration pour un humain à ce qu'il a pu accomplir de grand et de merveilleux dans sa vie, c'est mettre son mystère en veilleuse et le cacher derrière ses actes.

Et, dans la mesure où ses réalisations sont éblouissantes, tu es tenté de t'y attarder, au détriment de l'essentiel.

Toi-même, tu as si souvent tenté d'attirer l'attention des autres sur ta personne au moyen de ce que tu pouvais accomplir!

Les œuvres les plus admirables ne révèlent pas le mystère d'une personne, au contraire, elles le voilent plutôt en attirant l'attention sur les dehors.

Éprouver le besoin d'émerveiller ceux qui t'entourent par tes réussites ne manifeste pas à quel point tu es vivant, mais jusqu'où le vide et le désarroi t'habitent.

Comme il peut être déroutant d'entrer dans les espaces de la vie : tes œuvres bonnes n'ajoutent rien à ta dignité, et tes œuvres mauvaises n'enlèvent rien à ta densité.

* * *

Tu connais l'évangile et ses lois libératrices, mais qu'en est-il pour toi du mode de rétribution ?

Quelle relation peut-il y avoir entre tes actes, bons ou mauvais, et ce qui t'attend au-delà de ce seuil que tu devras franchir un jour ?

Est-ce que les heures que tu auras passées dans la vigne du Seigneur seront comptabilisées à ton actif ?

Est-ce que le temps que tu auras perdu à errer dans tes chemins de mensonge sera inscrit à ton passif ?

Est-ce que tes réussites et tes échecs, ta générosité et tes refus pourront faire osciller la balance pour ou contre toi ?

En passant au monde de l'Amour, plus rien ne se mesure, plus rien ne se prépare, plus rien ne se compare ; une seule réalité subsiste : l'élu.

Il remplit tout et fait tout déborder !

Voici la loi : en passant au monde de l'Amour, les actes disparaissent devant la suréminence de la personne qui occupe et remplit tout espace !

Et, même si ce message ne va jamais sans surprise pour toi, le plus incompréhensible est qu'au royaume de la charité, le bien lui-même est compté pour rien : la valeur de ton être prend alors tellement d'importance qu'elle relègue tes actes dans l'ombre : « Apportez vite la plus belle robe ! » (Lc 15, 20-24).

Oseras-tu effacer cette page de l'évangile où le Père te dit comment il accueille les ingrats, les mauvais « comme » les bons ?

Les années de service du grand frère, passées dans l'obéissance à son père, les douze heures de travail sous un soleil brûlant, l'observance intègre de la loi et le jeûne du pharisien, cette éloquente panoplie n'avantage en rien les tenants de l'orthodoxie aux yeux de qui leurs services et leur obéissance seraient en droit de retenir l'attention de Dieu !

Un jour, il te sera demandé de franchir une marche bien haute.

Dans l'évangile, en effet, ceux qui ont une conduite édifiante voient leurs efforts systématiquement oubliés à l'avantage de ceux qui ont choisi de courir dans l'obscurité.

Cette manière d'agir de l'Amour n'est-elle pas simplement irrecevable ?

Mais il y a plus difficile encore !

Ce qui te laisse bouche bée, c'est que non seulement le bien accompli n'est pas capitalisé, mais on le voit souvent tourner au vinaigre : un « priant-jeûneur » s'en retourne chez lui non justifié ; les justes qui méprisent une prostituée devront passer après elle au dernier jour ; le grand frère qui a fidèlement servi dans l'obéissance demeure rivé sur le seuil.

Les brebis restées sagement dans l'enclos n'arrivent pas à donner autant de joie au Berger que l'étourdie reposant sur ses épaules.

Le bien se verrait donc sanctionné ?

Outrage suprême !

Tu te dois d'être fidèle en tout, certes, mais dès que ta fidélité se transforme en monnaie d'échange, dès que tu te reposes sur elle pour bénéficier d'un meilleur accueil au dernier jour, elle tourne à ton désavantage, parce que tu contestes alors l'absolue gratuité de Celui qui t'accueille, uniquement parce que lui a le cœur bon.

Le bien accompli n'a pas de valeur par lui-même : il n'est rien d'autre qu'un effet secondaire de l'amour.

Sache-le, tu es « Serviteur inutile ».

Lorsque ta fidélité apaise ta conscience, tu reconnais que l'Amour agit comme un juge qui récompense et punit, à l'encontre d'un Père qui jubile en embrassant l'ingrat.

Tu contestes alors ce qui est l'essence même de l'Amour.

* * *

Quand le cœur d'une personne est gagné par l'amour, les gestes qu'elle pose s'habillent d'harmonie et de beauté.

Par contre, une conduite irréprochable peut être le fait d'un cœur absolument privé de vie.

Et, plus désolant encore, c'est quand un cœur est absolument vide de tout amour qu'il mise avec plus d'ardeur sur la perfection de son agir afin de « sauver les meubles » !

Étant privé de l'essentiel, il n'a plus d'autre choix que d'opter pour la façade et la mascarade !

Ne t'y trompe pas, il ne s'agit pas ici de la condamnation d'une conduite parfaite, mais de la réprobation du mensonge qui consiste à vouloir dissimuler les oripeaux du dedans sous l'oriflamme du mensonge !

Rien n'est plus odieux que de faire preuve de générosité envers une personne afin de lui laisser croire que tu l'aimes bien, alors que tu espères seulement en recevoir un bienfait!

La révolution essentielle consiste en ceci que tu ne dois jamais poursuivre le bien comme un objectif à atteindre, un objectif qui pourrait t'avantager en mettant en lumière aux yeux de tous l'amour que tu peux avoir dans le cœur.

Ainsi, surveiller ta conduite afin de lui donner les couleurs de l'amour n'est rien d'autre qu'une inacceptable parodie, la preuve que ton agir n'est pas alimenté par un feu.

Ce ne sont pas les gestes bons qui allument le cœur : c'est un cœur enflammé qui donne aux gestes leur inimitable beauté.

* * *

En apprenant que des prostituées précéderont bien des justes dans le Royaume (Mt 21, 31), tu diras : « Si telle est la loi, pourquoi me donner tant de mal afin d'obtenir le salut ? »

Encore ici, tu as parfaitement raison!

En effet, l'irrespect que tu manifestes envers toi-même en violant ta conscience ne changera jamais rien à l'attitude de Celui qui t'a aimé alors que tu étais son ennemi (Rm 5, 10).

Ce ne sont pas tes greniers remplis qui t'aideront à franchir le seuil de cette maison où l'on danse autour d'un ingrat.

Ce n'est pas le mal que tu auras commis qui interdira à l'Amour de t'embrasser.

Il y a le protocole des rencontres humaines, et il y a la bienséance du Royaume.

Tu commences par t'enrichir de tout ce que tu observes autour de toi, jusqu'au jour où un souffle intérieur vient prendre la direction de ta vie pour la transfigurer.

Mais comment croire que tes refus n'enlèvent rien à l'Amour dont tu es l'objet?

Et, plus difficile encore, comment accepter qu'une héroïque fidélité de ta part ne change rien à l'attitude de l'Amour qui t'a prévenu?

S'il y a réconfort à avoir bonne conscience, il y a, plus appréciable encore: le bien souverain de la paix vécue par un publicain incliné, moins sous le poids de sa faute, qu'en vertu d'une indulgence qui l'accueille sans condition!

S'il y a satisfaction à bénéficier d'un denier pour une seule heure passée dans la vigne, quelle ne sera pas ta surprise de recevoir une rétribution à laquelle tu n'avais aucun droit.

S'il y a la touchante beauté des larmes répandues sur ta faute, il y a beauté plus admirable encore, celle d'une mansuétude qui enveloppe l'insolvable en sanglots.

Le christianisme n'est pas une morale, il est une rencontre d'où jaillit un feu qui purifie.

Le christianisme n'est pas l'histoire de l'homme remis enfin debout sur ses deux pieds, mais l'aventure d'un pécheur à genoux qui n'a d'autre choix que celui de se laisser embrasser.

Le christianisme ne peut être compris que dans le contraste de tes abîmes d'où tu es continuellement et miraculeusement arraché.

Te faudra-t-il connaître le désarroi de la femme perdue de l'évangile pour, comme elle, te laisser transfigurer?

Tu rêves à cette forme de bonheur où tout en toi ne serait plus qu'harmonie pleine et configuration à l'inaltérable Beauté, un état où tu serais aimé parce que tu serais devenu aimable.

Mais sache que c'est aux pieds du Christ, et en pleurs, qu'une femme perdue et montrée du doigt par les «purs», a connu le plus profond bonheur de toute sa vie.

C'est que le christianisme est fait du contraste de deux abîmes qui s'embrassent, l'Un en te lavant les pieds, et l'autre en admirant avec stupeur la splendeur du geste posé.

Ultime révolution: les larmes répandues sont le couronnement de toute béatitude: larmes de vie!

Un scandale demeure: un scandale qui fait de toi un scandalisé!

Quelle est donc cette innovation en vertu de laquelle il n'y a plus de différence entre les mauvais et les bons (Mt 22, 10)?

Tout au long de l'histoire du salut, on t'avait pourtant habitué à voir les bons récompensés et les coupables sanctionnés.

Et voilà que les mauvais ont part au banquet tout comme les bons!

Le plus difficile à accepter n'est pas de voir les mauvais être accueillis tout comme les bons, mais de constater que les perdus ont droit à un privilège additionnel, celui de passer avant les justes.

«Je vous le dis, les publicains et les prostituées arrivent avant vous au Royaume de Dieu» (Mt 21, 31).

«Remets à chacun son salaire, en remontant des derniers aux premiers» (Mt 20, 8).

C'est bien là l'élément qui a le plus de difficulté à traverser le crible de ton jugement.

Te voici devant le plus incompréhensible de tous les mystères, celui du fond de Dieu, le fond de l'Amour!

Oh! bien volontiers, tu diras que cette page de l'évangile est sublime, bien consolante pour l'ensemble du troupeau, pour tous ceux en particulier qui ont tellement conscience de n'être pas parfaits.

Mais de là à voir tes labeurs et tes sacrifices totalement ignorés par l'Amour, voilà où bute ta logique.

Auras-tu la témérité d'affirmer que, pour toi, cette sorte d'injustice apparaît comme normale et que cette perspective du Royaume à venir te remplit le cœur d'une grande joie?

Fasse le Ciel qu'apparaisse enfin la beauté de Dieu!

C'est là ton unique nourriture!

C'est là ta seule joie: la beauté de Dieu!

Joie qui vient non pas du surprenant bonheur de celui qui n'aura travaillé qu'une heure dans la vigne, mais du visage de celui qui aime tout indistinctement parce qu'il a toujours le cœur en feu, un feu qui brûle par lui-même, sans devoir être activé par un élément qui est extérieur à lui.

Peux-tu soupçonner seulement la nature véritable de la charité parfaite?

Si tu avais été parmi les brebis demeurées sagement dans l'enclos, après t'être refusée à sauter la palissade dans le but d'éviter au Berger d'avoir à se mettre à ta poursuite, et que tu l'avais entendu te dire : « Cette égarée, qui n'avait même pas le désir de revenir vers moi, elle me donne plus de bonheur que toi qui, par déférence pour moi, as choisi de demeurer fidèle », eh bien, dis-moi quelle aurait été ta réaction ?

Est-ce que spontanément tu te serais écrié : « Mais oui, Seigneur, tu as parfaitement raison de ne tenir aucun compte du sacrifice auquel j'ai consenti afin de ne pas te déplaire, et de ne tenir pour rien l'infidélité de celle que tu ramènes sur tes épaules ; tu as parfaitement raison d'avoir au cœur une joie que je suis incapable de te donner moi-même avec ma fidélité : il n'est qu'une valeur, il n'est qu'une joie, la beauté de ton visage ! »

Une telle réaction spontanée de ta part est-elle seulement concevable ?

Morale de l'histoire : l'unique valeur est que soit manifestée l'insondable richesse du cœur du Berger, et c'est quand il embrasse l'infidèle que peut apparaître en pleine lumière ce qui n'est pas manifeste à tes yeux.

Si l'étourdie donne plus de joie au Pasteur que l'ensemble du troupeau, c'est qu'en se laissant sauver, elle lui permet de révéler au monde le trésor inestimable qui se cache en lui.

Et encore, cette joie du Pasteur n'est pas pour lui : il exulte uniquement parce que tous les perdus sauront désormais que leur cause n'est pas désespérée.

C'est là le dernier secret de la révélation chrétienne.

Chez toi, il faudra que disparaisse le Dieu rémunérateur pour qu'apparaisse Celui dont seul le baiser est à même de te pacifier en te libérant du souci d'être aimable pour être aimé.

Tu commenceras à respirer au rythme de l'Amour à partir du jour où, n'attendant plus aucune reconnaissance pour ta fidélité, tu ne te nourriras plus que de ce qu'il est lui-même.

Étrange vérité : tu n'as pas besoin de l'attention de l'Amour sur ta personne : ton attente dernière est de vivre uniquement d'admiration, sa seule beauté suffisant à remplir ta coupe.

Admirable loi encore et toujours, l'Amour n'attend rien de toi, et tu ne dois rien attendre de lui !

Moins tu possèdes, plus tu reçois.

Tu as été trouvé par Celui que tu n'avais pas cherché.

Tu as été aimé alors que tu étais indigne de tout amour.

Tu as été pardonné alors que tu ignorais la gravité de ta faute.

Bouleversante, la figure de ce Dieu, le tien !

Encore une fois, ce qui te menace pour le dernier jour, ce n'est pas le nombre et la gravité de tes fautes, mais ton hésitation à croire que tu seras accueilli comme la chose la plus précieuse du monde, quel que soit ton état.

Aussi longtemps que tu t'étonnes qu'il puisse en être ainsi, tu interdis à l'Amour d'agir conformément à sa nature.

Ceux-là seuls qui refuseront d'être aimés en pure gratuité s'excluront eux-mêmes de la communion : c'est le frère aîné de la parabole qui refuse d'entrer dans la fête malgré la pressante invitation que son père lui adresse, ce sont les invités de la noce qui s'esquivent d'eux-mêmes, plus intéressés qu'ils sont par leur travail que par une plongée au cœur de la vie.

Tu marchandes avec l'Amour aussi longtemps que tu accordes de l'importance à ta fidélité et que ta conscience s'apaise lorsque tu parviens à bien agir : ton cœur alors n'est pas totalement christianisé.

L'évangile te présente non seulement des exclus qui entrent par la grande porte, mais plus étonnant encore, des égarés qui n'aspirent même pas à la communion et qui donnent au Sauveur d'exulter.

La logique de l'Amour désarçonne tes approches.

Face à ton propre désordre, tu as le choix de dire : « Il faut le corriger », ou bien : « Il importe d'abord de mieux connaître l'Amour puisque lui seul pourra venir à bout de ma perdition. »

« Nous étions par nature voués à la colère comme tous les autres, mais Dieu qui est riche en miséricorde... » (Ep 2, 3-4).

* * *

Au début de toute relation avec le Très-Haut, c'est habituellement sa grandeur et sa majesté qui s'imposent au croyant, mais quand il se fait mieux connaître, c'est la simplicité et la joie qui prennent la relève.

« Parlez au cœur de Jérusalem » (Is 40, 2).

Quelle révélation, Dieu parle au cœur !

Quand surgit en toi ce nouveau visage de Dieu, il te trouble, et tu parviens difficilement à te familiariser avec lui, comme si ces traits nouveaux ne lui convenaient pas !

À tes yeux, il est normal que Dieu demeure celui qui est plus grand que toi !

Or, aussi longtemps qu'à tes yeux demeure en lui le moindre vestige d'une grandeur, calquée sur celles des humains, quelque chose du paganisme subsiste encore en toi.

L'attitude la plus spontanée de l'homme face à Dieu consiste à le grandir en le plaçant le plus haut possible et en creusant la distance qui l'en sépare.

C'est alors que Dieu finit par apparaître comme digne de ce qu'il est.

Dans une religion non révélée, comme celle du Coran, Dieu est perçu comme le Transcendant Absolu !

Les fidèles qui se prosternent devant lui seraient profondément déçus de voir Allah prêter une minute d'attention aux pauvres humains qu'ils sont, car alors il perdrait tout de sa grandeur et de son absolue dignité : il est trop grand pour s'abaisser à penser aux mortels que nous sommes.

Quelle distance entre ce Dieu qui glace le sang dans nos veines, et le Dieu qui s'agenouille pour laver tes pieds !

Voilà bien ce qui explique qu'il soit si difficile pour un musulman de s'ouvrir à la foi chrétienne.

Il y a là plus qu'une différence de culture : pour ce dernier, en effet, il est contradictoire que Dieu puisse se faire proche de nous, ce serait contre nature pour lui.

À ses yeux, une telle proximité équivaudrait à renier Dieu en quelque sorte.

Il faut donc l'affirmer, Dieu ne peut pas être grand.

L'absolu de l'Amour ne peut en rien dominer, parce que sa nature est de servir, dit l'Apôtre (1 Co 13, 4).

Quoi d'étonnant dès lors que Dieu soit chez lui quand il est à tes pieds et que, au contraire, il soit en un endroit qui ne lui convient pas quand tu le places au-dessus de ta tête?

La place de l'Amour ne peut être qu'au cœur!

Dans cette divergence d'approches, tu perçois mieux quel privilège est le tien d'avoir été instruit par Dieu lui-même sur sa véritable nature, lui qui est venu marcher au milieu des hommes, lui qui a daigné faire en toi sa demeure et s'abaisser jusqu'à devenir bouchée de pain au creux de ta main.

Cette vérité était si contraire à ce que l'homme pouvait penser de Dieu que des sièles auront été nécessaires pour que le Très-Haut puisse parcourir la distance infinie qui séparait le Sinaï du Cénacle.

Il faut comprendre qu'il y a le Dieu de la nature et le Dieu de la grâce.

La grandeur, la nôtre, convient au premier qui du néant fait jaillir la création avec ses milliards de galaxies.

La faiblesse et la communion sont propres au second qui lave les pieds de ses disciples avant de se livrer pour eux.

Aucune trace de grandeur humaine dans l'Amour!

C'est pour avoir confondu l'ordre de la nature avec l'ordre de la grâce qu'il est devenu si difficile aux humains de dire qu'il n'y a pas de grandeur en Dieu.

La seule grandeur de l'Amour étant de se livrer pour ceux qu'il aime.

Dans ta prière, lorsque tu demandes à Dieu que sa volonté soit faite, il ne va pas de soi que tu l'invites alors à venir embrasser tes pieds!...

En effet, c'est bien en cela que consiste le vouloir de l'Amour, servir et, au besoin, donner sa vie en rançon.

Auras-tu un jour l'audace de proclamer que Dieu ne peut être bien qu'à tes pieds, et que c'est là l'endroit qui lui convient?

Le Ressuscité qui, sur la grève, s'active à préparer le déjeuner des siens, laisse entrevoir un secret auquel seuls ceux dont le cœur a été visité peuvent avoir accès.

Auras-tu toujours la crainte de diminuer le Père en le percevant comme étant plus « simple » que toi?

Le Père est enfance, même s'il n'y a rien d'infantile en lui!

La grâce te sera-t-elle accordée, comme au poète Paul Claudel, d'être traversé par le sentiment déchirant de l'éternelle enfance de Dieu?

Cette expérience «vibrante» de ce qui est le fond même de Dieu, il ne te suffit pas d'en recevoir la révélation par la lecture de la Parole ou le témoignage de quelqu'un qui l'aurait vécue.

Il te faudra l'engendrer toi-même, lui donner littéralement naissance.

Dieu n'est pas une puissance qui s'impose, mais un cœur qui, en toi, repose.

Dieu n'est pas une force qui domine, mais la chaleur d'une présence.

Dieu n'est pas distance infinie, mais haleine qui vivifie.

Dieu est silence de vie qui bouleverse le cœur, comme lorsque tu te retrouves en présence d'un enfant perdu dans ses rêves.

Plus tu le dépouilles de ce dont l'a affublé l'irrespectueuse grandeur des humains, mieux tu le rends à lui-même.

Plus profondément tu pénètres dans son infinie simplicité, plus tu te rapproches de ce qu'il est en vérité.

Ce sera là, pour toi, l'œuvre de toute une vie, ramener Dieu à son éternelle enfance!

La trajectoire est interminable qui consiste à descendre Dieu de la montagne fumante pour l'introduire chez toi, le seul lieu qui lui convienne.

Il t'appartient aujourd'hui de baptiser ton Dieu.

Dieu t'a confié la mission de le reconduire jusqu'au bout de son enfance.

Mais que de barrières à démolir avant de parvenir à cette vérité libératrice!

* * *

J'ai en mémoire ces années où, dans la liturgie, la fête de la Trinité s'ouvrait avec le *Tremendum mysterium*.

«Mystère redoutable», chantions-nous alors pour traduire le bonheur infini d'une communion sans limites et sans fin...

Mais d'où pouvait bien venir ce besoin de transformer ce qu'il y avait de plus désirable pour nous en une sorte de montagne inaccessible?

Ce mystère d'infinie communion, pourquoi fallait-il l'habiller d'une écrasante majesté, doublée d'une distance infranchissable?

Comme s'il convenait de rendre impossible ce qui était la plus profonde de nos aspirations, la communion dans l'Amour!

Dès qu'il éclôt, l'amour simplifie les protocoles, abolit les distances, délie les entraves et anéantit les obstacles.

C'est comme si, chez nous, un vieux fond de culpabilité nous interdisait d'accorder à l'Amour les prérogatives qui sont les siennes, comme s'il nous était interdit de vivre la communion.

Plus une eau est pure, plus facilement tu peux apercevoir le fond de la source.

L'amour est ce qu'il y a de plus limpide, et il possède en outre le charisme de tout purifier.

Alors, pourquoi ce besoin maladif de transformer en son contraire la première de nos aspirations?

Serait-ce pour nous faire trembler que l'Amour de Dieu aurait été répandu dans nos cœurs (Rm 5, 5), ce mystère soi-disant «redoutable»?...

L'amour est si simple que tu en vis les plus beaux moments sans y prendre garde.

Prêter attention à tes expériences les plus enrichissantes au moment même où elles ont cours en toi c'est les anéantir!

Mystère: ton bonheur peut se manifester uniquement quand tu ne lui prêtes aucune attention, prisonnier que tu es de son emprise sur toi, tout comme tu ne peux apercevoir la rivière lorsque tu es immergé dans ses eaux.

C'est ce qui explique que les plus beaux rêves de bonheur que tu puisses concevoir te laissent habituellement sur ton appétit lorsqu'ils se réalisent enfin.

C'est alors qu'ils te laissent sentir leur insuffisance.

Rêver au bonheur, c'est lui imposer des limites.

Tes rêves sont toujours plus beaux que la réalité espérée.

Tes rêves demeurent merveilleux aussi longtemps qu'ils ne deviennent pas réalité.

Tes rêves ne sont beaux qu'en rêve!...

C'est le merveilleux qui, en faisant irruption en toi, pourra t'apprendre à rêver à ta mesure.

Si tu te désoles en constatant que tes rêves perdent de leur densité en prenant corps, il est à se demander si cela ne serait pas dû au fait que tu es incapable de soutenir une trop grande intensité de bonheur?

Si tu en doutes, observe comme il est difficile pour toi d'avoir accès à l'immobilité silencieuse et d'y persévérer.

Avoir contact avec l'absolu, c'est te retrouver sans désir aucun.

Le plein rassasiement est incompatible avec le mouvement et l'analyse.

Il t'est permis d'aspirer à l'absolu du bonheur, mais l'absolu du bonheur ne sera jamais ce que ton imagination aura pu élaborer comme scénario.

Il faudra donc que te soit révélé le bonheur qui doit te rassasier.

Et lorsque tu en feras l'expérience, jamais tu ne pourras dire: «Je savoure un grand bonheur!»

Être conscient de ton bonheur c'est demeurer hors de ses enceintes.

Le bonheur se doit de venir te surprendre : tu ne peux le préparer, ni même te disposer à le recevoir.

Un bonheur préparé, un bonheur conscient seront toujours indignes de la densité avec laquelle tu es appelé à vivre.

«Rien n'est calme comme de vivre», dit l'adage.

De même, rien n'est simple et dépouillé comme la plénitude.

Rien n'est paisible comme un amour totalement purifié.

Comme elle demeure loin de toi, cette façon de concevoir le bonheur éternel, à savoir une entrée dans l'infini du silence et de l'universel apaisement.

En parlant de Dieu, tu as du mal à te débarrasser de tes approches encombrées de pourpre et de couronnes.

Te deviendra-t-il naturel un jour de concevoir la Trinité nageant dans un climat si paisible qu'il t'invite au sommeil, une expérience moins à la portée de la main, qu'à la disposition du cœur ?...

* * *

Il existe, ce Dieu qui n'est que Père, Père au point de faire crier à l'injustice ceux qui estiment avoir le droit de revendiquer.

Tu n'as qu'un seul droit, celui d'être aimé !

Et ce droit, tu ne peux le revendiquer puisque, depuis toujours, il t'a précédé !

Tu avais inventé une «grandeur» à ton Dieu.

Il y aura donc grande surprise pour toi – non pas surprise de vie, mais surprise d'éternité – à découvrir Dieu comme plus simple que toi!

Non pas un Dieu infiniment simple comme il est infiniment grand, mais un Dieu grand à force d'être simple!...

C'est dire que seul un cœur capable d'une grande qualité d'écoute peut percevoir les signes de la présence de ce Dieu infiniment discret.

On t'a habitué à une forme de transcendance qui te regarde d'en haut.

C'est pourquoi tu accordes si difficilement à la «transcendance de la communion» de faire irruption dans tes chemins.

* * *

Dans le mystère de l'Annonciation, Dieu devient dépendant de sa créature pour survivre.

Tu acceptes volontiers que la majesté du Père se manifeste à travers le Sauveur lorsqu'il parle avec autorité ou qu'il commande à la mer et aux vents!

Mais ce n'est pas spontanément que tu aperçois le Père dans le Christ humilié et vaincu, là pourtant où il nous révèle au mieux ce qui est le fond même de Dieu, «le plus grand amour» (Jn 15, 13).

C'est au seuil de l'éternité, que tu auras l'apaisante surprise de le reconnaître enfin pour ce qu'il est vraiment.

À cette heure, il y aura certes une grandeur en lui, mais elle sera exactement à l'inverse de ce que tu conçois aujourd'hui comme grandeur.

Le Christ ne manifeste jamais avec autant de lumière le visage de son Père qu'au moment où, comme à la Cène, il mise davantage sur l'intimité que sur la majesté.

La révolution consiste en ceci que, chez Dieu, la grandeur est au service de la simplicité et non l'inverse !

Quand Dieu se manifestera à toi sous ses véritables couleurs, tu auras peine à le reconnaître, tout comme les disciples qui, après la Résurrection, éprouvaient de la difficulté à discerner le Maître dans un Étranger, ignorant tout de ce qui s'était passé à Jérusalem, et qui s'était joint à eux sur le chemin, tellement il leur apparaissait comme le plus simple des marcheurs.

La gloire de l'Amour se manifeste bien davantage dans le déjeuner qu'il prépare sur la grève, que dans l'éblouissement du Thabor !

Le plus merveilleux est que le jour où tu découvriras la désarmante simplicité de ton Dieu, tu n'éprouveras plus le besoin de savoir si tu es digne de communion avec lui, parce que tu seras alors devenu aussi simple que lui.

* * *

Quelle nouvelle : si Dieu t'a fait le commandement d'aimer, c'est qu'avant même de te demander d'être attentif aux besoins des autres, il t'invitait à vivre avec en conformité avec ton propre intérieur.

Quand tu aimeras avec un total désintéressement, dit Dieu, *tu feras l'expérience que ton cœur est vivant.*

En d'autres termes, poursuit Dieu, *si ton cœur est vide, tu attendras toujours quelque chose en retour de l'amour que tu peux offrir à ton semblable.*

Il te faut aimer comme moi je t'ai aimé: moi qui l'ai fait à cause de moi-même et non parce que tu étais digne d'amour.

Ce n'est pas par indigence que je t'ai aimé d'un grand amour, mais par débordement!

De même, devant ton semblable, il te faut être comme moi, sans besoin aucun, comme un vase rempli à pleine mesure et toujours prêt à déborder.

Jusqu'ici, tu as fait effort pour aimer afin d'obéir à ce que te demandait l'évangile, mais tu dois aimer parce que c'est là la loi qui est inscrite au fond de ton être.

Impossible pour toi d'irradier si tu n'agis pas en harmonie avec ton code intérieur.

Sache-le, il te faudra être transfiguré d'abord avant d'apercevoir ton semblable tout en lumière.

Donc, et très paradoxalement, ta propre fontaine doit être remplie à déborder pour que tu puisses t'abreuver à celle de ton semblable!

Quel mystère: l'amour est pauvre de celui qu'il aime, et il met toute sa joie à s'en enrichir, cela dans la mesure où il possède en lui-même une richesse qui le dispense d'être en état de besoin devant qui que ce soit.

Le jour où tu deviendras capable de cette expérience, de cette délivrance, tu n'auras plus besoin d'un commandement pour aimer.

Aimer est l'accomplissement plénier de la LOI, ou de «toi-même»?...

Tu diras alors: «Mais comment parvenir à me remplir ainsi le cœur, au point de déborder toujours?»

La réponse à cette question est simple : c'est que tu n'as pas à remplir ton cœur puisque qu'il déborde déjà, ton cœur, depuis qu'au jour de ton baptême, le Père a mis toute sa complaisance en lui.

Penses-y, ton cœur est rempli de la complaisance de Dieu, « à cause du grand amour dont tu as été aimé » !

Tu ne dois pas œuvrer à te remplir le cœur, mais à le vider seulement de tout ce qui l'encombre encore inutilement.

Alors ta lumière apparaîtra, resplendissante !

Quelle perspective nouvelle : la plus impérative de toutes les ascèses consiste à prendre vivement conscience que ton cœur est plein à déborder, ceci « à cause du grand amour dont Dieu t'a aimé ».

* * *

Que répondrais-tu si l'on te demandait en quoi consiste la faiblesse de Dieu ?...

La sagesse antique ainsi que le peuple élu lui-même étaient à des années-lumière de percevoir Dieu comme un être faible.

Inconcevable pour toi aussi cette carence chez Celui qui, étant à l'origine de tout, en arrive à être à la merci de tous.

Et, plus loin encore, un Dieu en attente de communion avec toi, quels que soient ton rang social et tes dispositions intérieures.

Cette présentation de Dieu te demeure si étrangère que des siècles de christianisme n'ont pas réussi à te faire abandonner cette façon de concevoir Dieu sur le modèle des grandeurs humaines.

La faiblesse de Dieu, c'est son indispensable besoin de communion avec toi.

«Dieu est Amour», dit Jean (1 Jn 4, 8).

Lorsque tu parles d'un grand amour, vécu entre deux personnes, tu ne songes jamais à une forme quelconque de domination de l'un sur l'autre.

Tout au contraire, la couleur typique d'un amour sain est la joyeuse soumission, une disposition permanente à servir et à se sacrifier au besoin pour le bonheur de l'autre.

Ainsi, il y aurait illogisme de ta part à percevoir Dieu comme un être qui, au-dessus de toi, te dicterait ses commandements.

Les commandements sont bel et bien là, dans l'Écriture, mais l'Apôtre t'informe que, comme la loi, ils n'ont «pas été institués pour le juste, mais pour les insoumis et les rebelles» (1 Tm 1, 9).

Plus un amour est grand, plus spontanément il se soumet!

Et quand l'amour est infini, comment pourrais-tu le trouver au-dessus de toi?

Tu refuserais alors à l'Amour ce qui est son essence même, à savoir la disponibilité joyeuse, le besoin de s'effacer pour mettre ton visage en lumière et avoir ainsi le bonheur de mieux le contempler.

Quel code mystérieux auquel il faudra te soumettre un jour!

Accepteras-tu que ton Dieu puisse aller jusqu'à être victime du déraisonnable lorsqu'il s'agit d'aimer, lorsqu'il s'agit de t'aimer?

En fait, tu refuses à Dieu la perfection de l'amour et ses conséquences normales, en même temps que tu les concèdes sans difficulté à un simple amour humain.

Ne dis-tu pas en toi-même : « Comment être sauvé sans être bien disposé ? »

OUI ! double scandale ici : la SEULE condition pour être sauvé est de ne pas te refuser au baiser que tu ne mérites pas de recevoir, de permettre au Berger de te hisser sur ses épaules quand il vient te chercher au fond de ta nuit, alors que tu n'as même pas désiré qu'il vienne à ta rencontre pour te ramener à la bergerie.

C'est bien ici, en effet, qu'a lieu un scandale, celui d'un salut qui t'envahit en dépit de ton manque de préparation et de ton manque d'ouverture, l'unique attitude requise de toi étant de ne pas te refuser à la main qui te cherche dans la nuit de ton péché !

As-tu suffisamment de lucidité en toi pour confesser que cette loi n'est pas celle qui présentement préside à ton agir de croyant ?

Inacceptable loi : la gloire de l'Amour est en raison inverse de ta participation !

On craint de parler ainsi, de peur d'ouvrir la porte aux abus et aux fausses interprétations.

Mais n'est-ce pas le Sauveur lui-même qui, le premier, a commis l'imprudence de parler de la sorte ?

Le Christ n'a pas hésité à proclamer la parabole de la brebis perdue.

Il a jugé plus important de te faire comprendre jusqu'où pouvait aller la « faiblesse de Dieu », lui qui prend plus de joie à ramener la délinquante qu'il n'éprouve de satisfaction à constater la fidélité de tout le troupeau.

C'est par incapacité d'aimer que les humains sont tentés d'avoir recours à la menace et à la sanction lorsqu'il s'agit de ramener quelqu'un à l'ordre.

Et c'est par méconnaissance de l'Amour que toi-même tu crains de te présenter devant Dieu avec beaucoup d'ingratitude et de dettes à ton actif.

Tu n'es même pas éveillé au fait qu'appréhender le jugement puisse être une faute grave, puisque c'est là une manière de renier ce qui est l'essence même de Dieu, c'est-à-dire l'accueil inconditionnel du perdu, quelle que soit sa dette, quelles que soient ses dispositions : «Fais-moi la grâce de me joindre à tes mercenaires», dit le perdu, croyant que son père était incapable de pardonner une faute aussi grande que la sienne : «Apportez la plus belle robe, répond ce dernier, et l'en revêtez!»

Le malheureux enfant estimait que son inconduite était le plus grave de ses péchés, mais sa véritable faute était de ne pas reconnaître la générosité qui dormait dans le cœur de son père.

Sais-tu toi-même où se cache ta véritable faute?

Le «jugement de l'Amour» n'est rien d'autre que l'acte dans lequel il embrasse le coupable encore mal disposé que tu es.

L'Amour corrige en noyant le perdu dans un débordement de tendresse et dans un océan de douceur.

Est-il aspiration plus universelle que celle de se voir accueilli inconditionnellement au dernier jour?...

Il est une seule situation où l'Amour accepte d'être une «puissance» à qui rien ne résiste, sais-tu laquelle?...

C'est lorsqu'il se retrouve devant ton péché pour l'anéantir!

Là, et là seulement, Dieu se montre Tout-Puissant!

Sache que ce n'est pas ta faute qui te menacera au dernier jour, mais ton hésitation à reconnaître Dieu comme étant l'Amour qui ne tient pas compte du mal.

Toute ta vie, tu as travaillé pour t'arracher à l'emprise du mal, et avec de si minables résultats!

N'en doute pas, ce n'est pas la crainte du jugement qui te rendra vainqueur du mal, mais la découverte du déraisonnable de l'Amour.

Il est une mission qui t'incombe, celle de devenir témoin de la faiblesse de Dieu en te présentant devant lui sans crainte aucune, alors même que tes mains et ton cœur sont entachés.

* * *

Dieu a pris sur lui ton péché, et il en est mort!

Tu serais donc plus fort que Dieu puisque, toi, tu as toujours vécu avec ton péché sans en mourir!

La vérité est que si, à l'encontre de Dieu, tu as pu survivre avec ton péché, c'est dans la mesure où tu étais inconscient de la gravité du mal qui pouvait t'habiter.

C'est donc par manque de lumière que tu as été plus fort que Dieu!

Il fallait l'infini de l'innocence pour entrer en agonie en apercevant ton péché!

L'Amour semble être allé trop loin pour toi, car c'est comme si alors, tu ne reconnaissais plus les traits de son visage: un Dieu mort, un Dieu vaincu par ton péché pourrait-il être celui qui mérite ton adoration?

Le baiser accordé à un enfant ingrat, avec la fête au cœur, est perçu par toi comme un acte de grand amour, plus facilement que le sang versé et les larmes que ton Dieu a répandues!

Le cœur de Dieu, ouvert pour toi, serait-il un langage moins persuasif qu'une simple manifestation de tendresse, comme ce père qui étreint son enfant ingrat?

* * *

Tu as rêvé de gloire, mais as-tu bien identifié la nature de la gloire à laquelle un autre a rêvé pour toi?

Quelle doit en être la couleur pour qu'elle puisse te rendre à toi-même?

Aspires-tu à un état où il n'y aurait plus rien à désirer, parce que, en toi, tout serait accompli?

Quelque chose comme une victoire finale où, affranchi de toute faiblesse, tu aurais la satisfaction de pouvoir laisser rayonner tout autour ton harmonie intérieure?

Parvenir à une parfaite maîtrise de toi-même et, dans la mesure du possible, de tout ce qui t'entoure?

La gloire qui t'attend va à l'encontre d'une telle aspiration qui est l'objectif premier des «sages de ce monde».

Tu avais rêvé à une gloire angélique alors que Dieu, lui, n'attendait de toi qu'une simple gloire humaine, c'est-à-dire une gloire de «sauvé»!

La raison en est qu'une gloire angélique n'aurait pas été suffisante pour celui que le Père a élevé à une suréminente dignité, celle d'être rendu participant de sa nature.

Tu avais droit à une gloire supérieure à celle des anges, car ton «indigence» était sans mesure.

Ta gloire n'est pas faite de triomphe, mais de soumission, de soumission à une Bienveillance qui accueille indistinctement les méchants comme les bons, les fidèles comme les ingrats.

Un jour, tu découvriras que tu avais la permission de pleurer, mais uniquement sur les excès d'un Amour qui t'aura prévenu.

Les larmes chrétiennes n'ont la permission de couler que sur la beauté d'un visage dont la sérénité ne saurait être ternie par tes manquements.

C'est donc à partir de tes larmes que ta gloire demande à resplendir.

La gloire du podium, encore une fois, est à l'extrême opposé de celle du Royaume.

Dans la première, plus tu t'élèves, plus tu te rapproches de l'objectif mais, dans la seconde, l'apothéose vient te surprendre quand tu arroses le sol des larmes versées sur tes manquements et tes refus.

On a si souvent accusé les chrétiens d'avoir constamment à «ramper» en larmes en présence de leur Dieu!

On percevra ainsi les choses aussi longtemps que l'étreinte jubilatoire de l'Amour n'aura pas traversé le cœur.

Si tu te sens mal à l'aise devant l'infinie Beauté, ce n'est pas que le poids de ta faute serait trop lourd, mais dans la mesure où tu n'as pas fait l'expérience du baiser qui transfigure.

Quand une fois tu auras vécu cette expérience, tu refuseras de t'approcher de l'Amour en l'absence de la dette insolvable que tu as contractée envers lui.

Et encore, ce ne sont pas tes larmes de repentir qui pourront dissoudre les racines du mal qui est en toi, mais la découverte émerveillée de l'ultime Beauté.

L'empreinte laissée en toi par le baiser de vie est mesurée par le poids de mort dont tu auras été délivré : « À cause de cela, je te le dis, ses péchés, ses nombreux péchés, lui sont remis » (Lc 7, 47-48).

Le sommet de la gloire chrétienne est un scandale pour qui préfère se construire lui-même une gloire qui, toujours remplie de lacunes, exige des recommencements sans fin.

Éternelle tentation du paradis perdu !

Ta gloire ne vient pas de ce que ta faute a été enlevée.

Ta gloire ne vient pas de ce que la bonté de Dieu se soit à toi manifestée.

Ta gloire vient de ce que ton cœur vit dans la profondeur d'une paix qu'il ne pourra jamais s'expliquer.

Ton ingratitude était la matrice indispensable de ta gloire.

« Dieu, dit l'Apôtre, a enfermé tous les hommes dans la désobéissance afin de faire à tous miséricorde (Rm 11, 32).

Tu ne seras pas couronné pour avoir beaucoup travaillé : les ouvriers de la première heure ont été si déçus d'avoir espéré un tel salaire !

Tu ne seras pas davantage apprécié parce que tu seras demeuré toujours dans le droit chemin : un pharisien priant dans le temple avait choisi de s'appuyer sur cette fausse valeur.

Tu ne seras pas aimé pour le bien que tu auras accompli : le grand frère de la parabole est là pour t'en persuader.

Tu t'étonneras de la mystérieuse économie de la grâce qui, à tes yeux, confine à l'injustice, aussi longtemps que tu n'auras pas été installé à la première place à la table, devant le veau gras tout fumant, celui qu'un autre aura engraissé sans même en recevoir une part!...

Ce ne sont pas tes efforts, ni ton discernement, ni l'examen de ta conscience qui t'amèneront à plier les genoux, mais le poids d'une béatifiante invasion.

Tu avais rêvé d'édifier tes semblables par ta fidélité, mais un seul rêve te reste permis, celui d'être aimé sans l'avoir mérité.

* * *

L'intelligence se réjouit quand ce qu'elle cherche apparaît en pleine lumière.

Le cœur, lui, tressaille quand il est traversé par une chaleur de vie!

Depuis toujours, tu as lu, tu as appris, tu t'es enrichi comme si, dans l'ordre affectif, c'était en allant jusqu'au bout du savoir que l'on avait une chance d'être surpris par le grand amour!...

Ce n'est pas par ce que tu peux mettre en œuvre que tu avances sur le chemin.

La gloire chrétienne fuit l'arôme des greniers remplis!

Tu n'as plus le choix: il te faut accéder au déraisonnable en acceptant l'injustice qui te fait passer, toi l'injuste, avant les irréprochables!

La grâce devra détruire en toi ton objectif de devenir parfait, afin que tu puisses avoir part à la perfection de Dieu.

* * *

La perle fine, tous la cherchent, chacun à sa manière :
- le politicien, dans les suffrages qui le porteront au pouvoir ;
- l'artiste, dans la foule éblouie par le fini de ses prestations ;
- l'athlète, dans la médaille d'or qui couronne ses efforts ;
- le plus grand nombre, dans l'éclosion du grand amour.

Quant à toi, où la localises-tu, cette perle fine ?

L'évangile te laisse entendre que, pour réussir en ce domaine, il te faut être « fin connaisseur ».

Un long entraînement s'imposerait donc avant de pouvoir mettre la main sur ce trésor.

Tu t'es habitué à toucher un salaire après avoir accompli le travail qu'on t'avait confié.

Mais le combat pour la vie obéit à des normes différentes que celles où tu luttes pour ta survie.

Voilà ce qui explique que tu éprouves tant de difficultés à entrer en possession de la perle de grand prix.

Plus tu mises sur ce qui vient de toi - ton labeur, ton ardeur, ta ferveur -, plus dans la même mesure tu t'éloignes du climat de surprise et de gratuité dans lequel la vie aime venir te surprendre.

Au seuil du Royaume, une déception t'attend : tu ne seras pas davantage l'enfant du Père en ayant labouré dans l'obéissance toute ta vie durant !

Et tu ne seras pas moins son enfant après avoir erré par tous tes chemins de mort.

L'irruption de la paix dans le cœur est le propre de ceux qui n'ont rien accumulé et qui n'ont rien réussi, et qui, pour cette raison, n'ont eu d'autre choix que de compter sur ce qui devait leur venir d'ailleurs, et surtout leur venir autrement.

Te faudra-t-il donc emprunter les chemins de la délinquance, comme l'évangile semble t'y inviter quand il se plaît à couronner des parcours de nuit et de mort, tout en refusant le veau gras à qui attend quelque chose en retour de son obéissance?

La couronne qui t'est promise n'est pas de l'ordre de la récompense ni du juste salaire.

Tu en as fait l'expérience: tout se révolte en toi dès que l'on tente d'acheter ton amour.

Et pourtant, chez toi, que de tentatives d'acheter l'amour de Dieu!

Tes mérites et ta générosité apaisent ta conscience.

Ta fidélité fait de toi une machine à produire!...

Jeûne deux ou cinq fois la semaine, ta santé n'en sera que meilleure.

Si, étant colérique, tu parviens à un peu plus de douceur, ton sommeil y gagnera en profondeur.

Mais tu n'auras rien de plus!

Cependant, si tu prends prétexte de la gratuité de l'Amour pour enfreindre plus librement la loi, tu auras en cela la preuve que tu es totalement étranger à cet univers où tu pourrais devenir un vivant.

Le Sauveur s'agenouille devant Pierre pour lui laver les pieds, et celui-ci s'écrie: «Toi, Seigneur, tu veux me laver les pieds, non jamais!» (Jn 13, 8).

La réaction du disciple manifeste qu'à ses yeux Dieu n'est pas l'Amour!

Un jour, le même Pierre avait répondu au Christ qui désirait savoir comment son disciple le percevait: «Tu es le Christ, le Fils du Dieu vivant!» (Mt 16, 16).

Il avait parlé ainsi parce qu'il avait vu le Maître multiplier les gestes de puissance et de bienfaisance.

Cependant, l'Amour ne se manifeste pas en multipliant les prodiges !

Le pauvre pêcheur de Galilée était alors si loin de penser que le plus limpide de l'Amour ne pouvait se manifester qu'en s'abaissant pour servir, qu'en se penchant pour guérir, qu'en s'inclinant pour embrasser !...

Découvrir ce qu'est l'Amour t'installe au cœur de la liberté nouvelle, là où il n'y a plus d'objectifs à atteindre, là où il n'y a plus de commandements à observer, là où il n'y a plus de chemins à parcourir !

Dans la parabole, quand le Prodigue se voit embrassé avec effusion, il perd le souvenir du travail qu'il désirait accomplir en reconnaissance du bienfait reçu !

Dans l'Amour, c'est manquer à la bienséance que de désirer payer de retour le bienfait accordé.

Découvrir ce qu'est l'Amour, c'est te voir affranchi de toute obligation, de tout devoir et de toute correction de trajectoire.

Découvrir ce qu'est l'Amour, c'est adhérer à un bien souverain qui comble et rassasie au point où tu ne ressens plus l'obligation d'aller toujours plus loin, sinon dans l'approfondissement de l'essentielle connaissance qui contient et surpasse toutes les autres.

Découvrir ce qu'est l'Amour, c'est perdre le désir même de lui ressembler !

CHAPITRE 11

FOI

Le mystère se dérobe à tes investigations.

La véritable grandeur est celle que tu ne peux percevoir.

Tout comme le plus grand des bonheurs qui est discret à l'infini, l'essentiel n'éblouit pas, il recueille.

Une intensité de vie n'explose jamais au-dehors : elle implose !

Le véritable signe, le seul miracle, est un cœur simple, ouvert et accueillant.

L'intelligence vit en perpétuel état de conflit avec le cœur profond.

Entends ici par « cœur profond », non ce qui a trait à l'affectivité, mais un instinct de vie qui opère ses choix avant même que l'intelligence n'ait eu le temps d'intervenir et de porter son jugement.

Comme l'hirondelle, tu possèdes un instinct pour te diriger.

Tu es appelé à choisir tes orientations à la manière de l'oiseau quand vient pour lui le temps de la migration.

Ce n'est pas au moyen de ton intelligence que tu as choisi de croire en l'existence de Dieu.

Et ce n'est pas avec son intelligence pratique que Mozart, très tôt, a opté pour la musique.

Et ce n'est pas par un acte d'intelligence que des personnes choisissent de s'émerveiller l'une face à l'autre.

Tes choix les plus importants, ceux qui engagent toute ton existence et ton éternité elle-même, il te faut les faire en fermant les yeux et en cessant de raisonner.

Au monde de la vie, le cœur a préséance sur l'intelligence, c'est là ta loi première.

Combien souvent tu y as manqué!...

* * *

Une foi vivante n'est pas un chemin de dépassement et d'austérité, comme tu es tenté de le croire, mais l'auréole même de toute béatitude!

Et si croire n'était rien d'autre que l'expression de ton propre désir, et non pas une obligation à laquelle Dieu exigerait que tu te soumettes?...

Cette loi de la foi, loin de violenter ta nature, est déjà inscrite dans les rouages qui président à ton agir de tous les jours, aussi bien dans l'ordre pratique que dans celui de la grâce.

La foi vient te révéler de quelle manière ton cœur demande à respirer.

Avancer dans la foi n'est donc rien d'autre que te soumettre à ta propre législation intérieure.

Avancer dans la foi c'est faire preuve de respect envers le plus vrai de toi-même, alors que ton incorrigible besoin de tout mettre en lumière a tendance à immoler le sacré sur l'autel de l'irrespect ce qui, infailliblement, engendre la déception.

Pour vivre, le monde attend des témoins qui avancent les yeux fermés et le cœur ouvert!

Le cœur ne s'alimente pas de lumière, mais de baume et d'onction : c'est là la foi à son zénith !

* * *

Lorsque, pour l'endormir, tu racontes une histoire invraisemblable à un tout jeune enfant, tu le vois plonger sans retour dans les beautés que tu inventes pour sa joie !

Ce dernier est alors au plus près de la vérité, pour cette raison que ce que tu lui racontes alors lui fait battre le cœur.

Cette joie naïve de l'enfant, elle est saine, féconde et rayonnante de lumière et de vérité : la preuve en est que l'introduisant ainsi dans son sommeil, tu te sens toi-même traversé par un souffle de vie !

Le petit vit à déborder, peu importe si ce à quoi il se nourrit est illusoire ou non, l'important n'est plus là !

Liberté souveraine : le bonheur n'a pas à se justifier aux yeux de la raison et des convenances, et surtout pas « aux yeux des raisonneurs de ce siècle » (1 Co 1, 20).

« Mais, diras-tu, comment composer alors avec les exigences de la prudence et de la vérité ? »

Le savais-tu : un cœur débordant de bonheur est la plus grande et la plus indiscutable de toutes les vérités !

Argumente qui voudra !

L'important ici n'est plus de savoir si ce à quoi l'enfant s'alimente est vraisemblable ou non.

Le miracle ici est que l'enfant est disposé à s'ouvrir au merveilleux, avant même de s'interroger à savoir si la chose convient ou pas.

Voilà le miracle qui doit se produire aussi en toi pour que tu deviennes porteur de clartés nouvelles et que tu puisses nourrir les autres de lumière, comme cet enfant qui a apaisé ton cœur d'adulte!

Devant l'audace et l'irresponsabilité d'une telle affirmation, le juge et le critique se rebellent en toi!

Mais cette naïveté du bonheur ne t'expose aucunement à l'erreur, car si la source où tu puises ton bonheur est illusoire ou empoisonnée, l'ombre d'une inquiétude se dessinera aussitôt en toi, te laissant entendre qu'il y a danger: l'enfant ne consentira jamais à s'endormir si son ange l'avertit ainsi que l'odeur du poison rôde tout autour de ce que tu lui racontes!

Joseph et Marie, les simples de Nazareth, voyaient le resplendissement de la face de Dieu dans le visage de ces grands prêtres indignes et corrompus, objets des anathèmes du Christ.

Une victoire de cette nature est si éloignée de celui qui raisonne et argumente (1 Co 1, 20).

Non seulement ces deux-là sont immunisés contre la perversité dont ils doivent s'approcher, mais ils sont en mesure d'admirer la face bénie du Père dans cela même qui en est le signe contraire.

Le Christ n'a jamais accompli un aussi grand miracle, et tous ceux qu'il a opérés étaient en fonction de celui-ci: «Si vous ne devenez comme de petits enfants» (Mt 19, 3).

Par sa limpidité, ce miracle jette dans l'ombre les prodiges de toute nature.

« Imprudence et manque de discernement » ! s'écrieront ceux chez qui la raison est plus persuasive que le cœur.

Ce n'est pas l'absence de lumière qui fait problème dans ta vie, mais un excès de prudence qui te ferme à l'inconvenance d'une fête au cours de laquelle l'anneau d'or est passé au doigt d'un coupable qui, de surcroît, est non repenti !...

Voilà bien l'attitude qui ne convient pas !

Devant le tombeau vide, un enfant ne s'alarme pas.

Il se dit en lui-même : « Il n'est plus là, donc quelque chose de merveilleux a dû se produire : il va certainement m'apparaître !... »

Et, sur ces mots, l'enfant s'endort plein de gloire !...

Non seulement il vit, mais lui, le naïf, il fait vivre le raisonneur que tu es !...

* * *

Une multitude de fidèles se scandalisent des prises de position de l'Église, et s'estiment en droit d'apostasier, pour ne plus faire partie d'une institution aussi imparfaite !

Décision en contradiction flagrante avec la foi chrétienne et avec le désir premier du Sauveur.

En effet, l'Église est essentiellement un mystère de communion et d'unité, comme l'a voulu le Christ lui-même au moment où il nous donnait son Corps et son Sang en nourriture : « Qu'ils soient un, qu'ils soient parfaits dans l'unité, afin que le monde reconnaisse que tu les as aimés comme tu m'as aimé » (Jn 17, 23-24).

Tous ceux-là n'ont pas compris qu'instaurer ou aggraver la déchirure dans la robe sans couture du Christ, dans son Corps qui est l'Église, est une faute plus grave que tous les faux pas, réels, dont cette dernière pourrait se rendre coupable.

Le véritable désordre alors n'est plus situé dans les déclarations de la hiérarchie, si maladroites soient-elles, mais dans le chemin de nuit où s'engagent les contestataires.

Comme si l'Église, instaurée par le Christ, se devait d'être parfaite, elle qui a été établie sur des hommes qui devaient trahir le Maître, le renier et l'abandonner!

Quelle inacceptable vérité: une Église qui serait irréprochable en tout pourrait difficilement s'afficher comme l'Église du Christ, fermée qu'elle serait à la miséricorde.

Opter pour la division afin de ne pas être contaminé par cette Église imparfaite, c'est redescendre le chemin du Calvaire et rencontrer le Sauveur qui le monte avec sa croix, afin de se livrer pour l'unité du troupeau.

«Ils sont sortis de chez nous mais ils n'étaient pas des nôtres, s'ils avaient été des nôtres, ils seraient restés avec nous» (1 Jn 2, 19).

Triste constat: ceux-là n'avaient pas à quitter l'Église puisque, au dire du disciple de l'Amour, ils n'en avaient jamais fait partie!

Les fautes de la direction manifestaient seulement que tous ceux-là n'avaient jamais été en communion avec l'ensemble, en dépit de leur présence physique.

Il importe de bien comprendre qu'aux yeux de Dieu il est secondaire que, tout comme l'Église, le disciple que tu es soit parfait.

L'important pour lui est que l'infini de sa miséricorde soit manifesté.

«Dieu, dit saint Paul, a enfermé tous les hommes dans la désobéissance pour faire à tous miséricorde» (Rm 11, 32).

De la même manière, si l'Église n'est pas parfaite, c'est moins pour être corrigée par toi, que pour vérifier si tu es toi-même dans la communion avec son mystère, et pour savoir si tu tiens à la communion au point de te livrer pour elle, à l'image de ton Sauveur!

L'Amour ne t'a pas corrigé en se séparant de toi, mais en instaurant la communion avec le coupable que tu étais, et cela, au prix de son sang!

Tu n'es pas en droit de corriger ton Église si, comme le Christ, la première de tes aspirations n'est pas de donner ta vie pour elle, et plus loin encore, d'être immolé par la main même de cette Église, comme au jour où un grand prêtre déclarait: «Qu'en pensez-vous?» Ils répondirent: «Il est passible de mort!» (Mt 26, 65).

Le Christ a confié à des humains faillibles et imparfaits le soin de conduire son Église.

Quand donc tu la vois poser des gestes qui te heurtent, l'unique remède qui s'impose alors consiste non pas à t'en séparer mais, tout au contraire, à intensifier ta communion avec elle pour sauvegarder sa cohésion, comme ce même Sauveur le fait chaque jour pour toi quand, dans l'eucharistie, il t'embrasse en oubliant ta faute.

L'Amour a consenti à être déchiré pour te maintenir dans la communion avec lui.

L'Amour aurait-il appris à ne plus mourir pour construire l'unité, pour te garder uni à lui, pour te maintenir, toi l'infidèle, en communion avec «l'Épouse Sainte et Immaculée»?

* * *

Chaque jour, par la lecture, par l'écoute de la Parole, par la fréquentation des sacrements, il y a danger pour toi de te laisser porter par une foi que tu as reçue en héritage, une foi donc que tu n'as pas eu à enfanter, une foi que tu n'as pas eu à payer au prix de ton sang.

Tout étant acquis, tout étant reçu, tu es à l'abri des dangers auxquels ont été confrontés une multitude de croyants qui ont dû cheminer à travers des obstacles sans cesse renouvelés, tu risques de devenir un disciple satisfait des apparences, pouvant même servir de modèle à ceux du dehors.

Il y a pourtant un abîme de différence entre une foi endormie et une foi vivante.

Tu peux vivre ta foi en observant les préceptes de l'évangile, et la chose est indispensable, bien sûr!

Mais le Sauveur te rappelle que même si tu fais partie du peuple élu, et que tu marches suivant la loi, modèle parfait d'obéissance, comme l'aîné de la parabole, ta foi peut demeurer sans souffle et sans vie.

Tu t'efforces de mettre tes pas dans ceux du Sauveur afin de rendre le témoignage que tu as bien compris le message de libération qu'il est venu apporter au monde.

Mais, aussi longtemps que tu t'appliques à surveiller ta conduite pour lui donner les couleurs de l'évangile, tu n'es qu'un simple mercenaire et non l'enfant de la maison.

Une charité vivante ne cherche pas à s'éclairer à la lumière de l'évangile mais, tout au contraire, elle projette sa propre lumière sur le livre saint afin de le rendre accessible à ceux qui le lisent sans le comprendre.

Dans tes amours et dans tes amitiés, il y aurait désastre à constater que la personne avec laquelle tu es en relation, doive avoir recours au calendrier pour ne pas oublier de te donner signe de vie!

Dans une communion, en être réduit à mesurer l'intensité du feu pour savoir s'il ne serait pas sous la normale, est un bien triste constat.

Si donc il te faut penser à donner à tes gestes les couleurs de l'amour, c'est dans la mesure où, en toi, le feu s'est éteint.

Quand le cœur déborde, les gestes jaillissent, resplendissants de joyeuse lumière.

Hélas, dans ta relation avec Celui qui t'a invité à tout quitter pour le suivre, tu demeures bien loin de cet élan spontané du cœur où les actes jaillissent avec le plus grand des bonheurs!

Non qu'il te faille rejeter toutes les réalités qui tissent ton quotidien, mais le Christ doit être le pivot autour duquel s'harmonisent toutes les composantes de ton existence, tout comme l'intensité de l'amour vécu par les parents est l'assise première de l'épanouissement des enfants.

Avoir à surveiller la vitalité de ta foi, fait de toi un ouvrier en attente de salaire.

Obéir aux préceptes, être attentif à ton feu intérieur, à la ferveur de ta prière, etc., serait, comme chez un couple, mesurer l'intensité du lien à l'aune des services rendus, tout comme on le fait quand il s'agit d'un simple manœuvre.

Si parfait soit-il, le rendement d'un ouvrier sera toujours impuissant à faire naître l'amour tout autant qu'à en traduire l'intensité.

Et c'est bien là que surgit le scandale : la profondeur d'un amour échappe à toute mesure.

Il s'inscrit même en contradiction avec l'empressement et les manifestations extérieures.

Après la résurrection, quand Pierre apprend que « c'est le Seigneur », il se jette à la mer pour le rejoindre aussitôt, tandis que Jean, lui, demeure paisiblement assis dans la barque.

Un amour encore mal purifié engendre le mouvement, il est plein d'élans et d'enthousiasme, tandis qu'un amour consommé résorbe tout à l'intérieur.

Le plus étonnant ici est que ces grands principes sont spontanément mis en application dès qu'un lien de vie s'établit entre deux adolescents : d'instinct alors, on fuit la galerie, et le vocabulaire est réduit à sa plus simple expression.

S'enfoncer dans le silence et l'oubli est le témoignage ultime d'un amour qui n'est pas illusoire.

Un amour mal affermi sent le besoin de s'exprimer.

Et, en agissant ainsi, il laisse entendre que son bavardage serait plus éloquent que le silence engendré par l'amour.

* * *

Celui qui aime ne sent jamais le besoin d'ajouter quoi que ce soit au capital de la personne aimée.

Et quand il le revêt du plus beau manteau, ce n'est jamais pour ajouter quoi que ce soit à sa dignité, mais uniquement pour mettre en lumière ce qui demeure invisible au regard de ceux qui n'ont pas part au mystère.

L'amour est trop occupé à contempler son objet pour penser à l'enrichir de quoi que ce soit!

Tu le sais, une personne n'a pas besoin d'être aimable pour être aimée.

C'est là un prodige dont tu mesures difficilement la grandeur et la beauté.

Tu es ici en présence d'un phénomène de vie, et c'est ce à quoi tu négliges de prêter attention lorsqu'il est question de l'adhésion de foi.

L'acte de foi est un acte de vivant, et non pas la démonstration d'une vérité.

Tu n'agis pas comme un vivant lorsque tu te laisses simplement informer par les objets ou les personnes que tu rencontres.

Il faut aller jusqu'à les transfigurer, comme cela se passe dans toute rencontre amoureuse.

Évite de laisser passer cette affirmation en te satisfaisant de ne pas la contredire!

L'amour n'a pas besoin de plus que ce qui est là devant lui, et il est comblé par cela même qui laisse dans l'indifférence tous ceux qui passent sans prêter attention au miracle qui l'éblouit.

L'amour transfigure son objet et il en fait une source de bonheur sans fin.

Le prodige ici est que le jaillissement de vie qui a cours alors est causé non par la personne qu'il rencontre, mais par ce qui est caché dans son propre cœur et dont il prend soudainement conscience en étant admiré comme un dieu !

À l'inverse, et par contraste, une personne dont les mécanismes intérieurs ont été disloqués, trouvera sans cesse à redire sur ses proches.

Un être ainsi brisé est non seulement incapable de faire surgir le merveilleux chez ceux qu'il côtoie chaque jour, mais il n'est attentif qu'à leurs côtés négatifs qu'il amplifie volontiers, ce qui a pour effet d'atténuer la douleur que lui occasionne sa propre pauvreté intérieure.

Un regard éteint ne voit partout que la mort, et si d'aventure il rencontre le merveilleux, il l'enterre aussitôt, comme si ce merveilleux le menaçait au lieu de le nourrir !

Dans la foi, tu adhères sans avoir toute l'évidence souhaitable, ce qui normalement devrait t'amener à dire : «Je crois parce que mon cœur, mon cœur qui ne peut pas me mentir, me laisse entendre que le merveilleux existe quelque part, et qu'il est là pour moi !»

Croire en Dieu est un phénomène semblable à celui où un enfant rêve à la nuit de Noël, et à tout le bonheur qu'il va bientôt connaître.

Croire, c'est «donner une chance au merveilleux qui dort dans les couches souterraines de ton être».

C'est qu'une racine d'espérance est là, cachée quelque part en toi, qui alimente ton aspiration à la possibilité d'un impossible.

Laissé à toi-même, tu ne peux que «construire des châteaux en Espagne», ce qui est une bien maigre consolation !

Mais survient la Révélation, confirmant que ton rêve fou est conforme à la réalité : « D'un amour éternel je t'ai aimé » (Jr 31, 3).

Croire, ce n'est donc pas poser un acte afin d'obtenir le salut.

Croire, c'est être simplement docile à ce qui monte de plus limpide à partir de ton propre fond !

Croire est l'acte le plus simple, le plus spontané et le plus « naturel » qui soit !

Tu es coupable lorsque tu imposes des limites à une espérance qui attend de jaillir du meilleur de toi.

« Beaucoup de prophètes ont désiré entendre ce que vous entendez et ne l'ont pas entendu » (Lc 10, 24), disait le Sauveur, avertissant ses disciples qu'ils bénéficiaient de l'inestimable privilège de sa présence et des prodiges qu'il accomplissait.

Pourtant, c'est bien le même Sauveur qui dira à Thomas : « Tu as cru parce que tu as vu, mais bienheureux ceux qui croient sans avoir vu » (Jn 20, 27).

Quelle joie : croire est un acte du cœur et non pas une démarche de l'intelligence !

Le rôle de l'intelligence se réduit donc à observer le cœur qui vit et à essayer de comprendre pourquoi il en est ainsi.

* * *

Il y a une remarquable analogie entre la foi et la charité.

En effet, ces deux vertus sont « ouverture au meilleur ».

La foi prête de bonnes intentions à l'Inconnu.

La charité pense le bien du prochain.

En fait, la foi et la charité ne sont rien d'autre qu'une disposition de bienveillance envers ce qui n'est pas encore manifeste : l'inconnu pour ce qui regarde la foi, les valeurs cachées dans le prochain pour ce qui est de la charité.

Thomas, « le raisonnable », se refusait à prendre le moindre risque par crainte d'être berné en consentant à croire sans une rigoureuse démonstration.

Mais le cœur n'est absolument pas « raisonnable » : il est ouvert à tout, même à l'impossible !

Il dit en substance : « Que le Seigneur soit revenu de chez les morts, comme le proclament tous ceux qui sont ici, pourquoi pas, la chose serait si merveilleuse ! »

Il laisse la porte ouverte à ce qui le dépasse.

* * *

Sur quoi l'apôtre Pierre pouvait-il bien s'appuyer quand, un jour, il a osé affirmer : « Tu es le Messie de Dieu ! » (Lc 9, 18-24).

On ne fait pas spontanément confiance à ce genre de personnes qui, sans réfléchir, donnent leur opinion sur tout et rien.

Il devient insupportable de les entendre énoncer comme des vérités indiscutables ce qui relève de l'émotion du moment sans plus.

Notre pêcheur de Galilée est bien de ceux-là, lui qui, avant la Passion, affirmait, et avec quelle assurance, qu'il n'abandonnerait jamais son Maître : promesse gratuite et téméraire !

Pourtant, force est d'admettre que derrière cette sorte de témérité, de jaillissement irréfléchi de promesses mal assises, peut se cacher une disposition favorable à l'éclosion du surnaturel.

En effet, trop de prudence, trop de certitudes font en sorte que l'enfant du Royaume n'est plus docile et malléable comme peuvent l'être ces petits à qui l'Esprit révèle les secrets du Père.

Les fondements du Monde Nouveau reposent sur des critères qui sont à l'opposé de ceux qui président à un agir humain.

Pour croire, les docteurs de la loi exigeaient qu'un grand signe apparaisse dans le ciel, attitude que le Sauveur condamne sans ménagement.

À l'encontre de ces derniers, il y a les simples qui, eux, ne connaissant pas la loi, s'émerveillent en entendant parler le grand Prophète.

Tous ceux-là n'ont pas scruté les Écritures, et ils ne comprennent même pas ce dont leur parle le Messie de Dieu, mais ils ont accès à sa Personne et ils revivent et font vivre le Verbe de Dieu.

C'est que l'adhésion de foi ne se fait pas par une certitude d'ordre intellectuel, mais grâce à l'ouverture du cœur.

Un cœur bon ne soupçonne pas le mal chez celui qui lui parle parce que, dans son cœur à lui, le mal n'existe pas.

Un cœur simple s'ouvre spontanément quand on lui parle de bonheur et de merveilleux!

La docilité du cœur est plus importante que les prudences de la raison!

Mais, lorsque tu te sens environné de ténèbres, penseras-tu d'abord à l'urgence où tu es de te faire un cœur simple, plutôt que de chercher à intensifier la lumière?...

La loi est la même lorsqu'il s'agit de ta relation avec Dieu et avec les personnes que tu côtoies chaque jour.

Si, à priori, ton cœur est rempli de méfiance, si tu exiges que l'étranger te donne la preuve de ses bonnes dispositions avant de t'ouvrir à tout dialogue avec lui, cette personne s'éloignera de toi elle aussi, et une méfiance mutuelle s'établira abolissant toute espérance de communion.

Au contraire si, en dépit des apparences, tu crois à ce qui peut dormir de meilleur dans l'autre, tu l'invites alors à se montrer à la hauteur de l'opinion favorable que tu as de lui : tu éveilles ainsi ce qui se cache de plus précieux au fond de lui.

Sans compter que faire appel à ce qu'il peut y avoir de bon dans l'inconnu que tu rencontres, n'est pas de l'ordre de la pure hypothèse, mais repose sur une vérité profonde, car en tout être humain, dort une soif de lumière, d'harmonie et de beauté.

La source, profondément enfouie parfois, demande l'aide d'un regard qui semble l'avoir découverte avant même celui qui la porte.

Il est évident qu'en te méfiant à l'extrême, tu seras beaucoup moins exposé aux manigances des manipulateurs, mais alors tu interdis le passage au miracle !

Tu deviens vivant en faisant appel au meilleur de ton semblable, au meilleur des événements et au meilleur de Dieu.

Tu te fais fossoyeur en te méfiant à l'excès !

Un enfant de la résurrection croit à la présence d'une bonté cachée sous les pires apparences.

Tout surgissement de vie exige un dépassement, un acte de générosité du cœur.

Tu as la liberté d'opter pour la prudence en te barricadant derrière mille précautions, mais alors il arrive que pour t'éviter une déconvenue, tu glisses insensiblement vers l'endurcissement du cœur.

Tu as mission d'amener ceux qui t'entourent au plus beau de ce qu'ils sont, et de connaître ainsi la joie de les enfanter au meilleur d'eux-mêmes.

Ce défi exige beaucoup de générosité... du cœur!

* * *

L'alternative est là: tu t'agrippes à tes certitudes, ou bien tu te laisses introduire dans un chemin où tu n'es plus le maître.

Au matin de la résurrection, Celui qui était mort est là, vivant devant les disciples: mais comment avoir la certitude que c'est bien Lui?

Hésitation compréhensible, semble-t-il.

Les disciples ont tort cependant de ne pas se rendre à une réalité qui pourtant n'est pas «évidente»!

Le Sauveur, en effet, leur fait reproche de se montrer trop prudents.

C'est ici le plus beau condensé du mystère de la foi!

Au fond de toi, une voix te laisse entendre qu'un miracle est là, tout près d'éclore.

Ce miracle, tu n'as pas à le faire surgir: il t'est seulement demandé de ne pas le refuser quand son profil se dessine devant toi.

Tu rêves à un impossible: il ferait si bon, en effet, de te voir enveloppé soudain et pour toujours de lumière et d'amour!...

Qu'est-ce qui te fait hésiter à croire à ce langage qui monte du fond de ton puits?

De deux choses l'une : tu doutes de ton rêve, ou bien tu te sens indigne de le laisser se réaliser en toi.

Ne pas laisser jaillir librement ce à quoi secrètement tu aspires et qui, du dedans, demande à émerger dans ton champ de conscience, c'est accuser ton cœur de te mentir.

Tu deviens alors la maison divisée en elle-même (Mt 12, 25).

Tu résistes à la grâce dès que tu hésites à croire que Dieu t'aime, personnellement, de façon exclusive et « préférentielle » !

Est-il un amour qui consentirait à passer au second rang ?

Tu es donc coupable de résistance à la lumière, aussi longtemps que tu t'étonnes de ce que l'Infini puisse tirer plus de joie de ta seule personne, que de la totalité des élus, ceci, comme il en a été pour la brebis égarée, elle qui pourtant était de toutes la moins digne d'être aimée !

Tu doutes que Dieu puisse aller jusqu'à cette irrecevable injustice où ta personne représenterait, à ses yeux, une valeur plus grande que celle de tout le troupeau !

Et douter ainsi, c'est te rendre coupable d'infidélité, non pas envers Dieu qui t'offre cet héritage inestimable, mais d'infidélité envers toi-même dont les racines appellent l'infini de l'amour et du bonheur.

« Au vainqueur, je donnerai un caillou blanc, un caillou portant gravé un nom nouveau que nul ne connaît hormis celui qui le reçoit » (Ap 2, 17), et celui qui le donne, évidemment.

Obéir au meilleur de toi-même, bien loin d'être un acte égocentrique, c'est devenir le centre du monde

et le centre de Dieu; c'est la brebis qui dit au Berger:
«Comme tu as raison de me préférer à toutes, moi, la
plus infidèle: voilà qui est digne de TOI! À te voir agir
ainsi envers moi, la moins méritante de la bergerie,
toutes seront éveillées à la présence en toi d'une insondable compassion!»

* * *

«Heureux qui croit sans avoir vu» (Jn, 20, 19-31).
Langage incompréhensible!
Exigence irrecevable!
Comme si tu avais reçu une intelligence pour ne pas
t'en servir.
Et pourtant oui, la loi est là, incontournable: dans
les décisions les plus importantes que tu as à prendre,
dans les tournants majeurs qui doivent donner sens à
ton existence, il te faut agir comme le tout jeune enfant,
c'est-à-dire avec une forte dose d'irresponsabilité, sans
être capable de faire la claire démontration du motif de
tes options.
Un humain ne peut donc s'épanouir qu'en faisant
passer au second plan la faculté maîtresse chargée
d'orienter toute sa vie!
Voilà bien la vérité sur laquelle butent beaucoup de
ceux qui abordent le problème de la foi.
Voilà, il te faut opter pour une manière d'agir, sans
avoir l'évidence qu'il s'agit bien de la bonne, de la
meilleure.
Quelle étrange situation que la tienne: il te faut régir
ton existence présente, et ton éternité elle-même, sans
avoir la «preuve» que le choix que tu fais est le meilleur!

Le meilleur étant de faire confiance à l'intuition qui monte du dedans, en l'éclairant au besoin par après, avec l'aide de ton intelligence.

Quelle nouvelle : les enjeux majeurs de ton itinéraire ne reposent pas, ne peuvent pas reposer sur des certitudes.

Quand il y va de l'essentiel, tu ne dois pas exiger d'y voir parfaitement clair.

Comme dans tout grand amour, les eaux du bonheur invitent à l'immersion, les yeux baissés !

Dans l'histoire, le politique a toujours eu préséance sur la mystique.

Mais c'est en donnant libre cours à ton rêve de bonheur que tu pourras éveiller tes semblables à ce qui, obscurément, demande à naître aussi en chacun d'eux.

C'est en étant respectueux de ce qui est le plus profondément humain en toi, que le monde apprendra de quelle manière il doit lui-même vivre et respirer.

Alors seulement tu seras devenu croyant à part entière.

La foi est un acte trop simple, trop naturel et trop spontané : devoir faire le moindre effort pour croire serait nier ce qu'est la foi.

* * *

Pour Dieu, il y a autant d'intérêt à observer ce qui se passe dans une humble chapelle où sont réunis quelques croyants, qu'à voir des millions de pèlerins qui, depuis des siècles, visitent les grands sanctuaires.

Pas évidente cette vérité à savoir que le moindre des baptisés, toi en l'occurrence, a autant de valeur aux yeux de Dieu que des foules en prière.

Tu ne t'en sortiras jamais: dans la charité, les statistiques sont de purs mensonges!

Dans un simple amour humain, la personne choisie, l'unique, si pauvre puisse-t-elle être, a beaucoup plus d'importance que l'ensemble de l'humanité.

Comment douter que l'infinie Charité soit au premier rang dans cette sorte d'injustice dont tout amour exige d'être reconnu coupable?...

Les mémorables basiliques dont on fait mémoire ne sont qu'un signe de l'importance que Dieu accorde à ce sanctuaire inestimable que tu es.

Il arrive que, dans la charité, une heure de travail soit mieux rétribuée qu'une journée de labeur (Mt 20, 8).

De même, une infime obole bouleverse d'admiration Celui qui juge uniquement à partir de l'intérieur.

Un enfant encore mal converti met la maison en fête.

Mais la leçon ne passe pas, même si l'évangile nous la répète *ad nauseam*!

Le Sauveur avait bien pressenti que nous aurions un mal immense à accepter la toute première des lois de l'amour, à savoir que la personne choisie, l'élu a plus d'importance que la multitude.

Rares assurément sont les pèlerins qui vont visiter les Lieux saints dans le but unique de mieux comprendre ce qu'une communauté vivante rassemblée sous un toit de fortune peut représenter aux yeux du Père.

Une telle affirmation risque de te faire sourire.

Nos balances et nos mesures deviennent «dysfonctionnelles» quand il y va des valeurs de la foi.

La grandeur des galaxies suscite davantage ton admiration qu'une mauvaise herbe de ton jardin en qui la sève circule.

L'accumulation de la matière inerte retient plus facilement ton attention qu'un souffle de vie.

Et si tu juges ainsi de la valeur des êtres et des choses, c'est évidemment dans la mesure où tu es encore étranger à l'univers de l'Amour.

Dans ta vie, dans tes choix, le CODE a toujours tendance à avoir préséance sur le CŒUR.

Il y a ce scandale au monde de l'amour, à savoir que la personne qui aime n'agit pas pour faire plaisir à l'autre mais pour son seul bonheur à elle.

Et, très paradoxalement, cette forme sublime d'égoïsme est ce qui, au mieux, comble de bonheur la personne qui est l'objet de cet amour.

* * *

En suivant le Christ, une femme malade se disait: «Si je parviens seulement à toucher son vêtement, je serai sauvée» (Mc 5, 28).

Comment cette personne pouvait-elle savoir qu'en touchant le vêtement du grand prophète, elle allait être guérie?

La foule l'«écrasait», est-il écrit du Sauveur.

Plusieurs avait donc contact avec lui, mais sans qu'un événement majeur ne se produise en leur faveur.

Pourquoi devait-il y avoir une exception pour elle?

Qu'est-ce qui la poussait à prendre elle-même la direction des événements et à les incurver en sa faveur?

Et pourquoi un acte de pure recherche de soi, sa guérison en l'occurrence, pourquoi un acte égoïste en somme, allait-il avoir comme résultat de faire oublier au Seigneur la foule qui l'entourait et de l'amener à centrer toute son attention sur cette malade qui n'avait souci que d'elle-même, alors que tout l'enseignement du prophète consistait à s'oublier soi-même, pour penser aux autres?

C'est souvent ainsi que le bien, à son plus haut sommet, peut prendre les apparences du désordre: on se souvient aussi de cette femme courbée à qui le caractère sacré du sabbat devait céder la première place!

Pour rejoindre l'essentiel, il te faudra souvent passer outre aux convenances.

Il y a de par le monde je ne sais combien de maîtres et d'écoles qui enseignent aux hommes le chemin à suivre pour parvenir à leur plein épanouissement.

Dans la grande majorité des cas, c'est après avoir renoncé à une multitude d'attaches, et avoir suivi les sentiers d'une rigoureuse discipline de vie que les élèves peuvent espérer parvenir à l'apothéose finale.

Alors, se pose la question: comment une personne qui n'a jamais reçu d'enseignement, une Syro-Phénicienne, celle qui n'a jamais aspiré à émerger au-dessus de la moyenne des mortels qui l'entourent, comment peut-elle d'emblée atteindre à des sommets inégalés avec un geste aussi simple que celui de toucher le vêtement de quelqu'un qui marche devant elle?

Un pareil miracle s'élabore au cœur de la personne la plus simple, sans qu'elle prenne conscience que son geste, anodin en apparence, atteint à une exceptionnelle grandeur.

Un geste simple engendre un éclatant prodige, mais le véritable miracle n'est pas celui de la guérison obtenue, mais la transparence et la simplicité du geste lui-même, admirable prodige!

Les sages et les savants devront faire machine arrière!

* * *

Estimes-tu avoir l'audace de ta foi?

Il t'est difficile de croire à une bonté sans limites et à un accueil sans condition.

À ton arrivée dans la Cité Bienheureuse, comment réagiras-tu en apercevant le Dieu transcendant oublier tout son monde et n'avoir plus d'attention que pour ta seule personne, et le voir puiser en cela le meilleur de son bonheur?

Tu n'ignores pas ce qui s'est produit lorsque le Prodigue est entré chez lui, tu sais dans quel état!

Tu hésites à appliquer ces lois à ta propre personne, même si c'est le Sauveur lui-même qui te l'a dit et répété dans d'admirables paraboles.

Le rôle de la grâce consiste en ce qu'une voix vient te chuchoter au cœur: «Va jusqu'au bout de ton rêve, la témérité de ton élan n'arrivera jamais à dépasser ce qui t'attend.»

Lontemps, tu as hésité à croire à cette révélation si inattendue du salut chrétien.

L'acte de foi te conduit jusqu'aux racines mêmes du cœur de Dieu, et t'oblige à descendre aussi jusque dans tes propres racines pour y rejoindre le rêve que Dieu a semé là.

Croire est le couronnement de toute espérance!

Croire, c'est plonger aux sources de la charité parfaite.

CHAPITRE 12

ONCTION

Quand tu désires acquérir un savoir, en droit ou en médecine par exemple, c'est notion après notion que tu dois en assimiler le contenu.

C'est au moyen de tes facultés que tu apprends les règles du droit mais, à l'image de ce qui a cours dans le choc amoureux, c'est par un toucher intérieur et de façon globale que le mystère se révèle à toi: tu n'entres pas dans le mystère par étapes successives!

Dans l'ordre matériel, avant d'acquérir un bien de consommation, une demeure par exemple, tu l'examines sous tous ses angles afin de t'assurer qu'il n'y a pas là de «vices cachés».

Or il arrive qu'avec le temps l'objet en question se révèle porteur de défectuosités qui n'étaient pas visibles à première vue: déception alors!

Mais quand il y va du mystère, c'est exactement l'inverse qui se produit.

Ici, jamais de surprises désagréables, car rien n'a pu t'échapper lors du premier contact, celui d'une saisie globale de la réalité.

Le cœur ne capte jamais son objet à la pièce.

Ceci, parce que le cœur se nourrit du mystère, et que le mystère est indivisible.

C'est la raison pour laquelle le bonheur vécu dans le choc amoureux est si bouleversant!

Et le temps ne fera que renouveler l'inaltérable limpidité du visage entrevu, et son éternelle fraîcheur.

À l'encontre des biens de consommation, plus abondamment tu t'abreuves au mystère, plus ses réserves se révèlent comme intarissables et jamais son fruit ne s'affadit : sa saveur se renouvelle.

Ici, rien ne s'use, ici, rien ne se ternit, ici, rien ne vieillit !

S'il en est autrement, si la flamme se refroidit, comme ce qui peut se produire dans un amour humain par exemple, c'est que, à l'origine, et en dépit des apparences, il n'y a jamais eu de véritable contact avec le mystère lui-même.

Dans l'ordre affectif, plus le lien est fort, plus tu désires posséder la personne en question, l'étreindre jusqu'à ne plus faire qu'un avec elle.

Mais, à l'extrême opposé, quand il y va du mystère, plus intensément tu entres en communion, plus un instinct secret t'invite à respecter les distances.

Le sacré possède comme une aura qui t'interdit une trop grande proximité.

Il est, en effet, une qualité de beauté que tu ne peux contempler qu'à distance, comme il en va pour une montagne dont la cime enneigée se perd dans les nuées : si tu en atteins le sommet, sa splendeur et sa majesté s'évanouissent pour te laisser seul avec la neige, l'herbe ou les pierres : la majesté du sublime s'anéantit alors et te laisse avec la désolation au cœur.

De la même manière, le mystère s'efface dès que tu l'approches et que tu oses y porter la main, ceci à la manière d'une vierge qui, violée, perd précisément ce qu'il pouvait y avoir de fascinant en elle.

À l'encontre de tes expériences d'ordre sensible, plus tu te tiens à distance de l'objet sacré, plus abondamment tu es par lui rassasié : c'est la paix du publicain au fond du temple, c'est la foi du centurion qui se sent indigne de recevoir le Sauveur chez lui, c'est l'admirable audace de cette femme malade qui, avec discrétion, touche seulement la frange du manteau du Christ.

Plus, par pudeur, tu t'interdis d'étendre la main pour prendre contact avec le mystère, mieux il te surprend à l'intérieur, seul endroit d'où il peut surgir.

Il est contre nature d'entrer en possession du mystère.

Il appartient au mystère au contraire de te saisir et de te posséder.

Tu ne peux le conquérir, tu ne peux qu'en être la proie, la proie consentante et bienheureuse !

Et, de surcroît, la communion au mystère exige l'exclusivité, ce qui pour toi est peut-être le plus difficile à accepter.

En effet, la charité demandait que tu te montres attentif aux besoins de tes proches, mais voici que l'ordre s'inverse soudain !

Dans toute rencontre amoureuse, en effet, la personne aimée atteint instantanément à une si grande envergure qu'elle jette dans l'ombre le reste de l'univers !

C'est qu'au fond de chaque mystère il y a davantage que dans l'ensemble de l'univers !...

« Comprenne qui a des oreilles » (Lc 8, 8).

Essaie de convaincre une personne bouleversée par l'irruption de l'amour en elle qu'elle aurait avantage à prêter attention à d'autres possibilités afin de s'assurer qu'elle ne fait pas erreur en s'attachant uniquement à son objet sacré !...

Dans l'ordre spirituel, à l'encontre de ce qui se passe dans l'ordre matériel, le grand saut une fois opéré, celui de ton accès au mystère, c'est en oubliant tout, et en te perdant dans ses eaux profondes que tu rejoins tes semblables, et de manière combien plus parfaite, c'est-à-dire à la manière même de Dieu, entends, par le dedans.

Ton voisin, tu le retrouves alors dans le sein du Père où tu pénètres : il y est plus parfaitement qu'il n'est là, devant toi ou dans tes bras, puisque désormais, tu participes à la communion que Dieu lui-même vit avec lui.

Établi là, à demeure, surgit le scandale si difficile à accueillir, celui de l'exclusivité !

À l'image de ce qui a cours dans tout amour humain, l'objet est alors seul à exister !

Tu choisis de te cloîtrer avec l'Infini, afin de mieux savourer ton bonheur.

Quant à l'Infini lui-même, il t'apparaît alors comme celui qui n'a plus qu'une seule raison de vivre : toi !...

Dès lors, à tes yeux, il n'existe plus que lui, et à ses yeux à lui, il n'existe plus que toi !

Ce qui a les couleurs d'un égoïsme inacceptable, est le sommet de la communion avec tes semblables.

Un tel état de choses semble contredire la loi de la charité, mais c'en est là l'ultime accomplissement.

Une femme gaspille un parfum très précieux en le versant sur les pieds du Christ pendant que tout autour les pauvres meurent de faim (Lc 7, 44) !

À Béthanie, il y avait quelque chose de plus urgent à faire que de préparer la table et remplir ainsi le devoir « sacré » de l'hospitalité !

Après la pêche miraculeuse, Jean dit à Pierre : « C'est le Seigneur ! » et le disciple que Jésus aimait reste paisiblement assis dans la barque parce qu'il était déjà installé à demeure à l'intérieur du mystère du Christ.

Parvenu à un certain niveau de communion, il n'y a plus de distances à parcourir : tout est résorbé au-dedans.

Mépriser les convenances sociales, ne pas avoir cure des pauvres, oublier ceux qui t'entourent, te laisser happer par le mystère, c'est là atteindre tes semblables à la racine même de leur être, nourrir les pauvres en abondance, en même temps que révolutionner l'histoire de l'humanité !

Cela parce que désormais, comme Dieu, tu vis par le dedans.

Comme un grand amour, une telle expérience ne se verbalise pas.

Un tel secret ne se confie pas.

Et le jugement des hommes se poursuivra : « À quoi bon toutes ces vies inutiles vouées à l'adoration alors que les besoins du monde se font si criants ? »

Cela, tout comme il en a été le jour où un parfum de grand prix fut inutilement répandu (Lc 7, 44).

* * *

Face à la mort, la vérité te serre de plus près.
Une existence s'achève.
Une éternité commence.
Où se situe la grandeur ?
Où loge la réussite ?
En quoi consiste ce qui demeure ?

247

Ici, le battement du cœur a préséance sur les pas du laboureur!

Ici, l'appréhension du jugement est noyée dans l'étreinte imméritée!

Dans ce contexte, il y aurait inconvenance à parler de rétribution ou de récompense, le couronnement n'étant plus mesuré par le labeur de l'ouvrier.

C'est le Maître de la vigne qui détermine le salaire.

C'est l'Amour qui supplée à qui n'aurait pas suffisamment travaillé.

L'unique tribut qui est requis de toi, ce ne sont pas les heures que tu auras passées dans la vigne sous un soleil brûlant, mais la découverte de ce qui est caché dans le cœur de Celui qui t'accueille.

Voici l'heure où émerge enfin la figure de l'enfant que tu es, capable à elle seule de remplir la Cité Sainte d'une qualité de lumière qui, jusque-là, n'avait jamais resplendi dans les cieux!

Manquait cet élément indispensable à l'accomplissement du Père lui-même.

À ses yeux, apparaît la virginité de ton visage alors même qu'il émergerait des décombres de toute ta vie!

Mystère!

* * *

Les étoiles ne se sont jamais fait prier pour danser au firmament.

L'aurore n'a aucune peine à te présenter chaque matin son apaisant visage.

Et c'est avec grâce que ta rose s'ouvre au soleil de Dieu.

Si donc tu dois faire preuve de générosité pour servir, pour donner et pour te livrer toi-même, c'est dans la mesure où tu n'es pas alimenté à la veine-mère!

Il est si désagréable de recevoir un service en étant informé de ce qu'il a pu en coûter au bienfaiteur qui daigne te l'offrir!

L'amour a trop de joie à servir et à s'offrir lui-même pour penser seulement à faire connaître au bénéficiaire de son dévouement combien il a pu lui être pénible d'agir comme il l'a fait.

L'amour vrai n'attend pas de reconnaissance.

L'amour vrai s'efface pour éviter de porter ombrage à la beauté de l'être en qui il a découvert tant de richesses, et où il puise tant de bonheur.

Comme récompense, rien ne peut être ajouté à ce qu'il contemple dans l'élu!

* * *

Le disciple bien-aimé parle de la dernière heure, c'est-à-dire de la «première» en fait, celle de l'éternel instant de Dieu.

Sauras-tu convertir cette «dernière heure» en éternel matin?

S'il est un univers où il convient de dire que l'on n'est jamais à la dernière heure, c'est bien celui de l'Amour.

Dans la charité, en effet, rien ne se termine jamais, et tout commence toujours!

Là, tout est jaillissement, origine et nouveauté!

Là, aucun «mouvement», puisque c'est toi qui es devenu le centre!

Là, aucun «lieu» puisque tout se joue dans le cœur.

Là, la partie a une valeur plus grande que l'ensemble : « Elle me donne plus de joie » (Lc 15, 1-32).

Là, l'infime passe au rang du sublime : « Elle a donné plus que tous les autres ! » (Lc 21, 2).

Là, aucun « progrès » mais éveil à ton capital de gloire : « Zachée, descends vite... » (Lc 19, 5).

* * *

En voyant le Sauveur guérir un sourd-muet, la foule s'écria : « Il a bien fait toutes choses ! » (Mc 7, 37).

Pourtant, il est un prodige plus admirable que celui où un sourd parvient à entendre ceux qui s'adressent à lui.

Ce miracle, c'est ton aptitude à saisir les valeurs qui, chez ton semblable, échappent à toute parole.

Ce prodige, il est impossible de te le représenter : il échappe à toute conceptualisation.

C'est par une sorte de frémissement de l'être qu'il te signalera sa présence.

On le sait, la simplicité est capable d'engendrer le sublime.

Mais ce que l'on ne soupçonne pas, c'est que le sublime est lui-même ce qu'il y a de plus simple !

Cette vérité, qui peut en soupçonner seulement l'existence ?

Tu as tenté par tous les moyens possibles de te dégager de la monotonie du quotidien, sans prendre conscience que le meilleur de ton capital de gloire était caché là.

La dorure que tu désirais y ajouter menaçait de ternir la limpidité du virginal.

Les corrections de trajectoire que tu t'efforces d'opérer dans ta vie ne peuvent atteindre jusqu'à tes racines et, pour se maintenir, elles exigent une vigilance de tous les instants.

À l'opposé, la force qui lève à partir de ton centre, lorsqu'elle vient te surprendre en chemin, non seulement elle n'a pas à être entretenue, mais c'est elle au contraire qui se charge, seule, de transfigurer tes actes tendus, hésitants et maladroits.

Tu te souviens de cette fleur de ton jardin que tu as aperçue sans l'avoir jamais semée?

Elle dépassait toutes les autres en beauté, celles que tu avais cultivées avec le plus grand soin.

Les plus belles réussites de la vie choisissent de s'élaborer dans la discrétion et de grandir dans la pénombre, à l'insu même de la personne qui en est le théâtre.

Tu as la nostalgie des cimes, toi qui pourtant as vu le Sauveur puiser le meilleur de sa nourriture dans ce qui est au ras du sol : un publicain prosterné au fond du temple, une prostituée en larmes à ses pieds, une femme malade au milieu d'une foule indifférente à sa souffrance.

Tu aspires à ce que tes valeurs soient reconnues par ceux qui t'entourent, et tu trembles à la pensée de voir tes faiblesses étalées aux yeux de la foule.

Ainsi, tu te comportes comme si tu n'étais pas passé du monde de la justice à celui de l'Amour.

Il suffisait pourtant de te souvenir avec quel bonheur tu as su te sacrifier parfois lorsqu'il s'agissait de faire plaisir à une personne que tu aimais.

Étonnement et surprise : est-ce bien possible, le véritable renoncement n'est en rien pénible, il a couleur de
béatitude !

La tristesse de ta vie est de ne pas soupçonner la
générosité dont l'Amour peut faire preuve envers toi.

* * *

« Ne me touche pas, ne me retiens pas » (Jn 20, 17),
disait le Ressuscité à Marie qui désirait étreindre ses
pieds.

Quel déroutant mystère !

Peu de jours avant, il avait pourtant pris la défense
de celle qui, chez Simon le lépreux, répandait un parfum très précieux sur sa tête : « Pourquoi tracassez-vous
cette femme ? » (Mt 26, 13).

Tu te souviens aussi de cette pécheresse qui, lors
d'un repas chez le pharisien, lui baisait les pieds et les
arrosait de ses larmes.

Il avait approuvé son geste en disant : « Ses nombreux
péchés lui sont remis parce qu'elle a montré beaucoup
d'amour » (Lc 7, 47).

Et voilà qu'aujourd'hui, le discours va dans une direction diamétralement opposée : « Ne me touche pas ! »

Les lois sont donc changées !

Ton rassasiement n'est plus dans ce que tu possèdes
ni dans ce que tu retiens, mais dans le respect admiratif
d'une Beauté qui te fascine dans la mesure où tu res-
pectes les distances et que tu la laisses à elle-même pour
mieux la contempler.

« C'est là où j'ai caché la dernière des béatitudes »,
dit Dieu !

Rien de ce que tu as amassé ne peut entrer dans les enceintes sacrées.

Les greniers de la terre ont leur contenu qui se mesure en boisseaux.

Les greniers du Père ne peuvent être remplis que par tes larmes de reconnaissance.

Plus tu as conscience d'être indigne d'un traitement de faveur, plus grande est la joie de celui qui vient à toi comme vers la merveille du jour !

Alors, prendrait-il plaisir à te voir au plus bas ?...

Ce qu'il désire te révéler, c'est qu'au moment où tu es au plus profond de l'abîme, sa présence t'y précédera toujours pour t'en retirer.

Est-il une paix plus profonde que celle où, étant irrémédiablement perdu, tu fais l'expérience d'être admirablement sauvé ?...

Tu avais rêvé d'asseoir ta paix sur ta fidélité aidée de la grâce de Dieu.

Dieu, lui, t'invite à vivre dans une paix que rien ne pourra jamais menacer, l'assurance d'être accueilli, quel que soit l'état dans lequel tu te trouves.

De combien de temps et d'expériences renouvelées auras-tu encore besoin pour échanger la paix que tu désirais te construire contre celle que Dieu ambitionne de te servir ?

Un jour, sur le chemin, sans que tu y prennes garde, ton cœur prendra feu.

Quelle joie d'apprendre alors que ta fidélité, ton obéissance et ta persévérance n'y avaient toujours été pour rien !

Les fruits que tu avais amassés t'avaient apporté la satisfaction du bon ouvrier, mais tu avais besoin de plus qu'un simple salaire!

Dans l'avènement du printemps de Dieu, voilà que tes victoires et tes acquis portent ombrage à la limpidité de la lumière qui émane de ton visage.

Il te fallait accomplir soigneusement tout ce qui t'avait été enjoint, mais en oubliant ce que tes mains pouvaient perdre ou amasser.

Définitive victoire: à partir de cette nuit où la Lumière a jailli d'un tombeau, elle se refuse à toute forme de négociation.

Ta joie la meilleure réclamait que soit immolé tout ce que tu pouvais apporter, car le cœur du Père devait suffire à te combler.

Une seule valeur venant de toi pourra encore te suivre au-delà du seuil: la componction, «indépassable béatitude»!

Quelle impossible mission: il te fallait apprendre à désespérer de toi-même pour ne miser plus que sur ce que tu ne méritais pas de recevoir.

Un bonheur qui, à force de béatitude éprouvée, ne va pas jusqu'aux sanglots de la consolation laissera toujours ton cœur à jeun.

Tes larmes ne cesseront jamais de couler, mais désormais, elles ne pourront le faire que sur la beauté d'un visage qui, en illuminant le tien, s'y arrête avec une indulgence qui te désarme.

Tu t'étais habitué à verser des larmes amères sur tout ce qui, en toi, pouvait avoir odeur de mort et de péché.

Tu avais rêvé de te présenter avec une urne bien remplie, mais ta coupe devait être vide pour être en mesure d'accueillir la surabondance de l'Amour.

Ainsi, une prière, comme celle du prophète, qui est à même de «déchirer les cieux» ne te suffit plus!

Ton espérance doit aller jusqu'à la témérité!

* * *

Une qualité de joie t'est offerte qui vient remettre en question la conception que tu t'étais faite du bonheur.

Tu es encore mal accordé à cet univers où le Ressuscité t'invite à le suivre.

Quelle étonnante proposition t'est présentée en effet.

L'intensité de vie qui veut s'emparer de toi est étrangère à toute émotion et, dans la mesure où tu as part aux fruits nouveaux, toute exultation se voit résorbée dans une paix qui demeure.

Le repos qui s'installe en toi éteint cette ferveur brûlante qui avait présidé à tes premiers pas.

Un calme infini prend la relève de tes élans et de tes ardeurs.

Ton vieillissement se voit informé par la fraîcheur d'un jour éternel, sans crépuscule.

Aussi longtemps que tu exiges de voir clair dans ta propre expérience spirituelle, tu risques de ne jamais franchir le seuil de cette demeure où tu dois entrer les yeux baissés, à la seule lumière de ton cœur en feu.

Au moment du baiser, les yeux ne sont plus d'aucune utilité.

C'est pourquoi d'instinct ils choisissent de se fermer!

Aimer, c'est être dispensé de tout éclairage, l'incendie qui sévit à l'intérieur supplée avantageusement à toutes les lumières qui pourraient te manquer.

* * *

C'est à l'intérieur de la vie du couple le plus admirable, celui qui vécut à Nazareth de Galilée, que de lourds et inexplicables silences ont été vécus!

Mystère: Marie, celle qui avait été promise à Joseph, Marie la plus irréprochable des «promises» n'a pas cru bon de s'ouvrir à son fiancé de ce qui lui était arrivé.

Après six mois d'absence, à son retour de chez sa cousine Élizabeth, elle était parfaitement consciente que Joseph devait se poser de terribles questions à son sujet.

Pourtant, elle n'a pas daigné apaiser le tourment du charpentier en lui fournissant des explications, ce qui semblait s'imposer pourtant.

Cette attitude était d'autant plus inexplicable que dans cette glorieuse aventure, elle n'avait rien à se reprocher, ce qui aurait été le cas, par exemple, si la conception avait été le résultat d'une infidélité.

Tu auras remarqué que, au moment où le Sauveur a porté la loi ancienne à son achèvement en en dépassant la lettre, on l'a condamné comme violeur du sabbat et on l'a accusé d'être un suppôt de Satan.

C'est ainsi que le sublime, quand il te dépasse de trop haut, peut facilement prendre à tes yeux les couleurs de la profanation!

Confronté à un problème, une personne qui est mal initiée à la dimension du mystère, procédera d'abord à l'analyse de la situation et, dans ce qui ressemble étrangement à un viol, elle s'efforcera de ramener en pleine lumière chacun des éléments qui font difficulté.

Mais plus cette personne se familiarise avec les espaces du sacré, mieux elle pressent partout la présence du mystère, et mieux elle s'emploie à le respecter.

* * *

Que veut te laisser entendre cette phrase mystérieuse du disciple : « Nous serons semblables à Lui parce que nous le verrons tel qu'Il est » ? (1 Jn 3, 3).

Comme s'il te suffisait d'observer une réalité pour devenir cela même que tu admires, comme il a été dit plus haut !

Tu as souvent contemplé un ciel étoilé sans nécessairement devenir toi-même le firmament.

C'est qu'il est des états de transformation qui ne peuvent survenir que par irruption spontanée.

Et c'est seulement une fois qu'ils ont pris fin que tu peux faire retour sur eux, mais sans pouvoir en expliquer le comment ni le pourquoi.

Tu t'étonnes alors de les avoir vécus, passé que tu étais dans une sorte « d'état second ».

C'est dire que tes plus purs instants de bonheur ne sont jamais vécus par toi de façon consciente.

Tu ne peux y faire retour qu'après avoir été traversé par eux de façon absolument gratuite.

Le bonheur est une réalité à ce point limpide et spirituelle qu'elle échappe à ton emprise.

Un jour, il t'a été donné d'assister à un magnifique couchant et tu as été envahi d'une paix profonde.

Le soir qui a suivi cette expérience si enrichissante, le même soleil étant là, aussi majestueux que la veille, tu es retourné t'asseoir au même endroit avec le désir de revivre cette expérience, mais il n'y avait plus que l'imposante majesté d'un couchant!

Dans la mesure même où tu désirais revivre le phénomène, il se refusait à toi.

Quelle leçon: tout ce que tu prépares, tout ce que tu construis, tout ce que tu gères se refusent au miracle de la vie!

Autant dire que rechercher le bonheur, c'est lui fermer ta porte.

Tu es retourné vers le soleil, estimant que c'était sa splendeur qui t'avait permis de vivre une grande paix.

Mais le soleil n'était pas ce qui t'avait comblé et pacifié jusqu'au fond de l'être: il n'avait été là, devant toi, pur instrument, que pour t'aider à prendre contact avec ton propre soleil intérieur.

Tu n'as qu'un seul besoin, celui d'être rendu à toi-même, mais quelle marche à franchir!

Je me répète ici, car le contenu m'y autorise: dans l'ordre affectif, la personne aimée n'est pas, comme on le croit, ce qui apporte le bonheur.

Mais parce que l'intensité d'un regard s'est posée sur elle, un regard qui atteint jusqu'à son mystère, elle est mise en contact avec son propre mystère qui semble si riche, puisqu'il émerveille l'autre à ce point!

C'est le contact avec son propre fond qui lui donne de vivre une telle intensité de bonheur.

L'amant n'a fait qu'aimer, sans soupçonner tout ce qu'il faisait naître chez l'autre qui s'imaginait que son bonheur lui venait de ce qu'il était aimé.

C'est le contact avec son propre mystère qui explique l'intensité du bonheur ressenti alors, et non pas la présence de la personne qui est là devant elle.

Le bonheur éprouvé alors ne vient pas de la personne aimante, mais c'est par son indispensable présence qu'il lui a été donné d'atteindre à la satisfaction de pouvoir habiter avec elle-même.

C'est seulement quand ton mystère est ainsi touché que tu peux t'éveiller à sa présence, et c'est alors que tu commences à vivre, à t'épanouir, à resplendir!

Quand, avec grande satisfaction, tu contemples le bel arbre de ton jardin, c'est aussi avec ta propre harmonie intérieure que tu entres alors en communion, tout comme tu avais besoin du couchant ou d'une personne aimée pour te ramener au plus pur de toi-même.

Tu n'as toujours eu besoin que d'être ramené à toi-même: ultime épanouissement!

Le jour doit venir où tu pourras entrer en toi-même et atteindre jusqu'à ton mystère sans l'aide du soleil et en l'absence d'une personne qui t'admire comme si tu étais plus grand que l'univers!

Le sage est celui qui, sans intermédiaire aucun, demeure en contact permanent avec son propre fond.

Et le miracle alors est que, dans la mesure où tu n'as plus besoin des personnes ou des choses pour prendre ainsi contact avec toi-même, la nature t'apparaît alors comme transfigurée, et les personnes comme divinisées.

Vivre en communion avec ton mystère te donne d'avoir accès au mystère de toute réalité rencontrée : c'est François qui parle avec sa Sœur la lune !

Vivre avec toi-même te permet de transfigurer le réel !

Tu illumines toute réalité au moyen de la lumière dont tu as alors conscience d'être habité.

Voir Dieu, ou mieux, être regardé par l'Amour, ce sera aussi être rendu à toi-même, mais avec quelle intensité !

Tu n'apercevras Dieu, Soleil infini, que pour réaliser que ce Soleil avait toujours été là, au plus beau de toi : « Le Père et moi nous viendrons et nous ferons en lui notre demeure » (Jn 14, 23).

Là aussi, là surtout, et combien mieux que devant le soleil, tu fermeras les yeux pour mieux le savourer au-dedans : éternité qui t'attend !

* * *

À un tournant de ton itinéraire, tu devras assister à un renversement du rôle de tes facultés.

Tu connaîtras avec le cœur, et tu aimeras avec ton intelligence !

C'est l'heure où la grâce se substitue à la rigidité de la loi.

Une aisance miraculeuse prend alors la relève de la stérile et épuisante tension.

Finie, la pénible corvée où les résultats se mesuraient à la seule générosité de ton labeur.

Un ciel nouveau lève quelque part au fond de l'être :

– la transcendance n'est plus que chaleureuse intimité ;

– le sourire d'un enfant est à même de contenir toute la majesté de Dieu ;

– une seule minute de ton existence prend envergure d'éternité ;

– le premier commandement perd de sa troublante exigence pour devenir un pur espace de sérénité ;

– tu en fais l'expérience, c'est quand Dieu s'emploie à te laver les pieds qu'il est « adorable » !

* * *

À ton insu, une multitude de lois te régissent de l'intérieur.

Il faudra apprendre à te soumettre en toute docilité à ce code secret.

Tu entreras dans le repos et dans la paix le jour où la sévère intelligence aura appris à se couler dans les méandres du cœur.

Avec ce résultat, déstabilisant au possible, qu'une béatitude pleine et définitive ne peut être vécue par toi que si tu acceptes de fermer les yeux pour te laisser conduire par une force qui te cache son visage.

Un vivant ne suit jamais un chemin tracé à l'avance.

Son sentier, il le construit sous chacun de ses pas, et la joie qu'il éprouve à ce jeu est plus appréciable que celle vécue au terme du parcours qui d'ailleurs ne connaîtra jamais de fin !

Il te faudra échouer bien longtemps dans tes tentatives d'atteindre au bonheur, avant de consentir à la législation déroutante qui est inscrite dans tes racines d'humanité.

Tu n'as rien à envier à qui que ce soit.

Les lignes de ton visage sont vierges.

Tu ne peux rien y ajouter, et personne ne peut rien y enlever.

Ce à quoi tu dois parvenir ne se compare à rien d'autre.

Aspirer à une grandeur autre que la tienne, c'est mépriser l'originalité des lignes que Dieu a dessinées dans ton visage.

L'important n'est pas de rivaliser d'ardeur afin de dépasser tes semblables, mais d'être simplement toi-même, œuvre plus importante que la conversion du monde !

* * *

La connaissance spéculative s'efforce de percer une énigme en la disséquant.

Le cœur, lui, atteint le mystère en embrassant.

Ne va pas mépriser le langage de Dieu en le rabais-sant au niveau du tien, prisonnier que tu es du visible et du sensible.

Dieu n'entrera jamais chez toi par la porte de la spé-culation, et tu n'entendras jamais sa parole au creux de ton oreille.

Il te faudra cesser d'être l'esclave des idées claires.

Incompréhensible revirement : quand un feu t'aura gagné le cœur, ton intelligence n'aura plus d'autre occu-pation que d'écouter la respiration du cœur avec une aptitude au respect qu'elle ne se connaissait pas !

On avait pourtant désespéré de sa conversion !...

L'amoureux n'a cure de savoir pourquoi il aime !

Quand le cœur est nourri, c'est en silence qu'il exige de savourer son fruit.

La présence d'une chaleur de vie supplée alors avantageusement à toute lumière : « Notre cœur n'était-il pas tout brûlant au-dedans de nous, quand il nous parlait en chemin ? » (Lc 24, 32).

Si tu ne t'intéresses qu'à ce qui se voit et à ce qui se comprend, tu te condamnes à demeurer un éternel « roseau pensant ».

Tu ne peux comprendre Dieu qu'en te laissant saisir par lui.

Tu ne peux atteindre Dieu qu'en devenant son prisonnier !

Tu t'es habitué à accumuler l'argent, le savoir, l'expérience, etc., mais tu ne pénétreras jamais au cœur de la vie au moyen de pareils outils.

Quel déroutant métier : il s'agit moins d'acquérir et de posséder que d'être attentif à accueillir tout ce qui demande à naître en toi.

En survolant les moments de ta vie spirituelle qui ont été remplis d'onction et de paix, tu t'arrêtes à celui qui t'a le plus profondément marqué, et tu aspires à le revivre avec une aussi grande intensité.

Mais c'est là ton erreur, celle de cultiver la nostalgie du passé !

Les instants les plus lumineux de ta vie ne sont pas des états que tu aurais avantage à revivre, mais des points de départ vers un meilleur.

Ces moments sont comparables aux pétales des fleurs de ton pommier : simple promesse d'un fruit à venir.

La logique du Royaume consiste alors à dire : «J'ai reçu un privilège, c'est le signe que j'en recevrai davantage encore et toujours : ma loi, c'est d'être privilégié!»

Le privilège et la permanence du privilège, sa croissance indiscontinue, avec cette sorte d'injustice qui le caractérise, ne cadre pas avec ta manière habituelle de penser et d'agir.

Il te faut admettre que de bien curieux réflexes t'échappent parfois.

Par exemple, tu observes que l'humble et si discrète Vierge de Nazareth n'a d'abord été qu'une petite juive parmi les autres, sans avoir plus de droits que tous les enfants de son âge.

Et voilà qu'elle est choisie pour devenir la Mère de Dieu.

Et, pour cette raison, rétroactivement, elle a été immaculée dans sa conception.

Et le rythme de sa croissance a été à la mesure des grâces exceptionnelles dont elle a été favorisée au départ.

Or, sois attentif au fait que la pensée ne te vienne même pas de dire : «Pourquoi tant de prévenances et tant de grâces à Elle qui ne les méritait pas plus que moi?»

Choix libre de Dieu : voilà le plus admirable!

C'est ta joie de contempler cette réussite sans égale, même si tu n'y as aucune part.

Cette joie désintéressée est pour toi un exceptionnel privilège qu'il t'est donné de vivre.

Lui as-tu voué toute l'attention qu'elle méritait?

Souffrir de n'être pas un saint est déjà une grâce de grande envergure.

Mais te réjouir de ce que tes semblables puissent te dépasser en perfection, t'en réjouir, ai-je bien dit, est une grâce qui ne vient pas de la chair ni du sang (Mt 16, 17)!

Et que dire quand tu éprouveras un grand bonheur à voir ceux qui t'entourent aujourd'hui mieux récompensés que toi, en ayant moins bien mérité que toi : «Il fallait bien festoyer et se réjouir, puisque ton frère qui est là était mort et il est revenu à la vie!» (Lc 15, 32).

Mystère : le sommet de ta joie ne consiste pas à recevoir, mais à admirer la grandeur d'âme du Maître qui comble l'indigne mieux que toi.

* * *

Le savais-tu, tu es en attente de consolation!

Autant dire que la tristesse et la déception t'habitent à demeure.

Mais ce n'est pas là le climat qui te convient puisque ton Dieu demande que tu sois consolé : «Consolez! consolez mon peuple» (Is 40, 1), dit-il.

Le drame chez toi est que tu ne mesures pas le sérieux de ton appétit de bonheur.

Tu deviendras respectueux de ce que tu es quand tu auras l'audace d'exiger la mesure qui te revient, en cessant de te comparer à tes semblables.

Même si tu n'as jamais fait l'expérience du plein rassasiement, une secrète intuition te laisse entendre que le débordement est la part qui te revient.

La presque totalité des humains avance sur le chemin en s'estimant heureuse du seul fait de pouvoir bénéficier d'une situation moins dramatique que les autres.

Comme s'ils étaient construits uniquement pour éviter le pire?...

Sache-le, ce n'est pas en étant plus favorisé que les autres que tu deviendras un être accompli.

Il y a cette loi si difficile à accepter en vertu de laquelle ton accomplissement comprend et dépasse celui de tous ceux qui t'entourent.

C'est qu'un héritage de vie ne se divise pas!

Mieux encore, ici, en recevant ton bien, tu reçois aussi celui qui te le présente.

Surprenante vérité: le bien qui t'était destiné n'avait toujours été là que pour te permettre d'entrer en communion avec le Donateur.

C'est dire à quel point ce à quoi tu es appelé dépasse ce à quoi tu peux aspirer!

Quand l'ordre nouveau se réalisera en toi, tu en perdras tes repères, tu vivras ce changement avec le sentiment d'être abandonné à toi-même, sans recours aucun, tellement vivre peut être simple.

Tu entreras alors dans un chemin non balisé, et tu te sentiras à la merci de tous les vents contraires.

Tu perdras tes aptitudes à gérer ton propre itinéraire.

Tu seras devenu prisonnier d'une force à laquelle tu hésiteras à faire confiance, jusqu'au jour où il te sera révélé qu'elle est la force de l'Amour.

Les modalités de ta croissance se présenteront alors à toi comme l'envers de celles qui avaient été les tiennes jusque-là.

On ne grandit pas en accumulant des victoires.

On ne grandit pas en transformant la matière.

On grandit en étant soumis à une purification où l'on perd ce que l'on avait estimé être indispensable.

Comment parviendras-tu à t'apprivoiser à une grandeur qui doit se révéler comme étant plus simple que toi?...

On t'avait habitué à regarder vers le haut pour t'adresser à Celui que tu priais.

Vient le jour où c'est en t'inclinant que tu pourras le rencontrer.

L'amour perçoit toujours l'autre comme plus grand que soi.

Voilà bien la règle que tu as tant de mal à accepter face à ton Dieu.

Tu t'interrogeras en te sentant regardé par lui comme si tu étais le centre du monde.

Inversion déstabilisante, l'amour a davantage besoin de toi que tu peux avoir besoin de lui!

On t'a éduqué aux belles manières et on t'a habitué à la révérence.

Alors, comment consentir à une intimité avec l'Infini lui-même?

Quelle nouvelle: Dieu n'est pas grand; Dieu ne peut pas être grand puisqu'il est l'Amour, et un amour n'est jamais plus grand que celui qu'il aime!

Depuis trop longtemps il t'a fallu combattre.

Es-tu disposé à entrer dans la sphère du baiser?

La plus redoutable des épreuves que le Ciel ait jamais pu demander à la terre était bien de percevoir Dieu comme un être rempli d'indulgence, compatissant et bien disposé, pure puissance de communion, avant d'être une grandeur qu'il conviendrait de servir et de vénérer.

Infailliblement, devant l'inconnu, l'homme appréhende le danger bien avant de s'attendre à une surprise de joie!

Ce saisissement est la conséquence de son être disloqué.

Pénible confession: avoue que tu as toujours été toi-même plus avide de grandeur que d'amour, de réussites que d'accueil empressé.

Tu as mis tout en œuvre pour mériter l'Amour.

Ce qui laisse entendre que ton désir se borne à être aimé à la seule mesure des services que tu aurais rendus, et du blé que tu aurais engrangé.

Mais c'est là t'exposer au naufrage.

Tu ne gagnes pas l'Amour grâce à ce que tu lui apportes, mais en acceptant que lui-même t'ouvre sa porte.

* * *

Le jeune adulte qui aspire à une profession doit consentir à un long apprentissage.

Mais pour pénétrer dans les couches profondes de la vie, tu es dispensé de toute préparation.

On n'enseigne pas à un enfant à avoir faim: il ne sait que réclamer, tout au long du jour!

Nul besoin non plus d'une initiation à la paix, lorsque tu te retrouves face à un magnifique couchant!

De même, un amour humain prend naissance en l'absence de tout conseil et de toute recommandation.

Ainsi, une fête dont tu peux expliquer l'origine et une fête dont tu connais l'objectif ne sauront jamais répondre à tes attentes.

Il faut qu'il y ait une «inconvenance» dans la kermesse du cœur, comme celle qu'a vécue le Prodigue, lui qui aurait été exaucé au-delà de ses espérances en recevant la permission de travailler pour avoir un peu de pain à manger, car c'était là, pour lui, un inestimable privilège.

Son aîné avait parfaitement raison de crier à l'injustice!

CORRECTION
DE QUELQUES APPROCHES

LES SAINTS

En dépit des apparences, la ressemblance entre toi et les saints est plus manifeste que la dissemblance.

Savais-tu que chez eux, la communion avec toi avait préséance sur les secours qu'ils pourraient t'apporter?

De plus, ils se présentent à toi moins comme des modèles à imiter que comme des amis avec qui vivre en communion.

Cela parce que, plongés dans la lumière, ils sont devenus participants du regard que Dieu pose sur toi.

C'est précisément en ce sens qu'ils peuvent au mieux te servir de modèle et t'édifier, c'est-à-dire t'aider à porter un regard de joie sereine sur ton semblable indépendamment des œuvres bonnes ou mauvaises qu'il a pu accomplir, comme Dieu le fait, voilà les saints!

Ils sont là, devant toi, moins pour que tu les imites que pour apprendre que Dieu lui-même te regarde comme eux le font, et mieux qu'ils ne peuvent le faire.

Tu connais la loi de tout amour: la personne qui aime le plus est aussi celle qui a le plus d'aptitudes à s'émerveiller devant l'être qu'elle contemple.

Ainsi, bien compris, le culte des saints est celui où les rôles sont inversés.

Quand il te sera donné d'avoir part à une plus grande intensité de lumière, tu en viendras à considérer comme tout à fait normal le fait pour les saints d'être là, moins pour être imités par toi que pour être eux-mêmes saisis d'admiration devant toi!...

Parce qu'ils sont dans l'amour, en effet, ils ont beaucoup plus d'aptitudes à s'émerveiller de toi que tu peux en avoir à les admirer!

Comment t'en étonner quand tu vois le Sauveur lui-même s'agenouiller aux pieds des siens et entrer en extase en bénissant les enfants, glisser spontanément dans l'admiration devant la foi d'une femme malade qui tente seulement de toucher son vêtement?

Refuseras-tu aux saints la permission d'imiter leur Sauveur?

Le jour où tu te seras familiarisé avec les lois qui régissent l'univers de l'amour, tu en viendras même à concevoir comme tout à fait convenable que les élus te perçoivent, toi, aussi pauvre que tu puisses être, comme un modèle à imiter, à l'extrême opposé de ce que tu crois présentement.

Irrecevable, cette affirmation, seras-tu tenté de dire?

Si tu as la tentation de réagir ainsi, il te faudrait méditer les paroles qu'adressait l'apôtre Pierre aux disciples de la primitive Église: «Le message que maintenant vous annoncent ceux qui vous prêchent l'évangile est celui sur lequel les "anges" se penchent avec "convoitise"» (1 P 1, 12).

Comment t'étonner encore et toujours après avoir vu le père de l'enfant perdu ne plus se contenir de bonheur et commencer à vivre et à respirer enfin lorsqu'il se retrouve en présence de son enfant qui revient avec l'ingratitude plein le cœur, et la déchéance comme unique capital de vie?

Tu avais cru connaître l'évangile, mais pour l'avoir beaucoup lu, et de façon souvent distraite, tu en es venu à l'enfermer à l'intérieur de tes chemins et à interpréter comme des hyperboles les admirables paraboles où il te dévoile la plus consolante des vérités.

Tu avais tellement misé sur ce que tu pouvais offrir au Père, alors qu'il t'était demandé seulement de t'offrir toi-même à son regard émerveillé, «comme à celui de ses élus»!

Certes, ce n'est pas ta vertu qui peut susciter une telle réaction dans les cieux, et ce ne sont pas tes fautes qui pourront interdire le passage au regard admirateur des saints qui s'arrête volontiers sur toi, l'évangile te le confirme à souhait.

Dans l'amour, c'est le plus grand qui s'émerveille devant le plus petit.

L'amour a une si grande capacité d'émerveillement qu'il a le pouvoir de rendre admirable tout ce sur quoi s'arrête son regard.

L'amour n'est pas informé comme tu peux l'être par l'objet qu'il aperçoit, mais il le transfigure dès que sa pupille l'atteint.

Quand tu observes une personne amoureuse, tu ne t'étonnes pas de la voir accorder plus d'attention et plus d'admiration à son vis-à-vis qu'à elle-même.

Elle s'oublie et puise en cela le plus pur de son bonheur.

Le même scénario devrait normalement se dérouler dans ta relation avec les saints que l'Église te propose comme icônes vivantes à vénérer.

Cela, d'autant plus que leur charité, parfaitement accomplie, l'emporte en perfection et en désintéressement sur tout amour humain.

Tu n'accordes pas facilement les attitudes de l'amour à ceux qui sont parvenus au sommet de l'amour!...

Comme si, dans ta relation avec les héros de la charité, la loi fondamentale de l'amour se devait de ne plus exister.

Paradoxale logique donc que la tienne : plus en effet un être est capable d'amour – c'est le cas des saints –, moins il convient qu'il entre lui-même dans les rouages qui président à tout amour!

Pour justifier ton attitude, tu diras qu'ils sont sans défaut et sans péché, eux, tandis que toi tu demeures si loin de l'objectif!

Tu serais donc aimé par eux à la mesure de ta réussite spirituelle et de ta perfection chrétienne?...

Pourtant, il saute aux yeux de tous qu'une telle attitude vient battre en brèche la manière de faire de tout amour authentique.

Un simple amour humain, tu le sais, n'est aucunement motivé par les qualités de la personne aimée ou par ses réussites, pas plus qu'il n'est entravé par ses défauts.

L'amour obéit à d'autres lois que celles qui président dans de simples relations d'ordre social, là où les personnes sont appréciées à la mesure de leurs qualités ou de leurs performances.

Tout amour est mû par la présence d'un mystère découvert au cœur de l'autre, un mystère dont on ne parviendra jamais à définir les lignes avec netteté, ce qui ne porte nullement atteinte au bonheur que l'on peut y puiser.

Et de cela, les saints sont les héros!

Percevoir les saints plus près de toi lorsque tu parviens à vivre davantage en conformité avec l'évangile, et t'en sentir plus éloigné lorsque tu as mal agi c'est rejoindre le grand frère de la parabole aux yeux de qui il était normal qu'il fût aimé davantage, lui l'obéissant, que celui qui avait tout raté.

Est-ce que te sentir comparé à ce triste personnage est une expérience agréable pour toi?...

L'enfant perdu aux dispositions douteuses et intéressées est embrassé avec effusion, non à la mesure de son rendement mais parce qu'il est fils.

Scandale pour l'aîné, mais qu'en est-il pour toi quand il s'agit d'admettre que, devant les saints, tu es davantage aimé par eux que tu ne peux les aimer toi-même?

Mystère inaccessible donc que les attitudes de l'Amour envers toi.

Imagine l'abîme qu'il te faudra franchir: tu devras accepter d'être aimé à la seule mesure de la grâce de ton baptême, uniquement parce que le Père t'a choisi!

Quelle révélation ce sera pour toi le jour où tu apprendras que les saints ne sont pas des chefs d'entreprise, ni des gens désireux de savoir si tu es apte à remplir les greniers de la maison!

Nouvelle plus surprenante encore, celle où tu apprendras que tu n'avais pas à remplir les greniers de l'Amour avec tes bonnes œuvres, mais avec un cœur en lambeaux, capable de s'abandonner avec confiance aux mains de celui qui le reçoit.

Les couleurs de l'amour ne sont pas celles du rendement.

Et paradoxalement ici encore, dans la mesure où ton agir et tes réussites deviennent secondaires à tes yeux, voire inutiles et même encombrantes, comme le blé du grand frère, ce même agir, le tien, a plus de chances d'atteindre à sa perfection.

C'est seulement à partir du moment où tu es convaincu d'être aimé inconditionnellement, donc à partir de l'heure où tu as le cœur rempli du bonheur d'être aimé pour toi-même, que ton agir pourra fleurir comme par surcroît.

Tenter d'acheter l'Amour, aspirer à mériter l'Amour, rêver de devenir digne de l'Amour, c'est porter atteinte à la limpidité de l'Amour : combien de fois t'es-tu senti coupable d'une pareille faute ?...

LA FEMME

Après vingt siècles d'incompréhension, l'heure serait peut-être venue de rectifier ta façon de lire et d'interpréter l'apôtre Paul quand il dit : « Femmes, soyez soumises à vos maris » (Ep 5, 22).

Se pourrait-il qu'en cela il soit, de tous les temps, le plus ardent défenseur de la cause des femmes ?

Il a mis « cinq » lignes pour dicter aux femmes la conduite qu'elles avaient à tenir envers leur mari, et il en a mis « seize » pour expliquer aux maris quelle devait être leur attitude face à leur épouse.

Il y a, en cela, une inacceptable injustice qui n'a jamais été relevée.

De plus, Paul invite sans plus la femme à être soumise à son mari, alors qu'il demande à l'homme d'aimer sa femme jusqu'au don de sa propre vie, exactement comme le Christ l'a fait pour l'Église !

C'est pour cette impossible mission, confiée à l'homme, qu'il convenait de monter aux barricades, car il est exigé de lui immensément plus qu'il n'est demandé à la femme.

En d'autres termes, dit l'Apôtre : « Femmes, il vous faut consentir à être aimées par votre mari du "plus grand amour" qui soit, celui où il est disposé à donner sa vie pour vous, comme le Christ l'a fait pour son

Église. Il vous incombe à vous, les femmes, d'autoriser votre mari à avoir une telle attitude à votre endroit.»

Il est contre nature pour la femme de se soumettre la terre, de la même manière que l'homme peut le faire, c'est-à-dire en dominant les situations, par la force au besoin.

La femme doit le faire elle aussi, puisqu'il a été dit aux deux: «Emplissez la terre et soumettez-la» (Gn 1, 28).

Mais elle doit se conformer à cette prescription de façon non seulement différente mais opposée à celle de l'homme, c'est-à-dire non pas en dominant, mais en ramenant tout à elle.

L'homme doit régner en imposant son hégémonie tandis que la femme doit le faire également, mais en devenant pôle d'attraction, en ramenant tout au centre, en son centre.

L'homme a reçu comme châtiment de cultiver la terre à la sueur de son front.

Et pour éviter de s'enliser dans ce labeur de «condamné» et d'en devenir l'esclave, il lui faut faire diversion en se laissant séduire par le mystère de «l'éternel féminin».

Si l'homme est fécond en intervenant, la femme est féconde en se livrant.

L'homme est initiative, la femme est accueil.

Ici, le langage de la physiologie est si clair qu'il faudrait être de mauvaise foi pour se refuser à l'évidence!

Est-il nécessaire d'ajouter que si la biologie parle en ce sens, la psychologie se doit d'aller dans la même direction!

Parce que le corps de chacun est différent, leur manière d'approcher toute réalité est nécessairement différente elle aussi, vérité que l'on a si souvent tendance à escamoter.

La femme, dans sa fonction première, façonne son fruit par le truchement de son corps, non en s'engageant à la manière de l'homme mais en s'étonnant de ce qui grandit en elle.

Elle agit non en intervenant, mais par « surcroît d'être ».

L'enfant qu'elle met au monde n'est pas comme le blé que l'homme cultive, c'est-à-dire l'aboutissement d'une activité de sa part à elle, mais l'éclosion en elle d'un miracle dont elle est la première à s'émerveiller.

On peut approcher une multitude de réalités sans qu'il soit nécessaire d'être en amour avec elles.

Par exemple, on peut apprécier une bonne voiture sans nécessairement y être lié affectivement.

Mais la femme ne peut être approchée sans amour, et elle ne peut rien approcher non plus sans amour.

Tout en elle répugne à glisser dans l'engrenage de la productivité, ce qui serait se renier elle-même.

L'homme transforme la matière ; la femme lui donne vie.

La femme qui revendique fait violence à ses mécanismes internes et risque de les disloquer.

Cette vérité est si loin d'être évidente, dans un monde où le visible et le rentable ont préséance sur le mystère et le sacré qui, eux, ne peuvent être qu'évoqués.

Les valeurs d'être sont trop subtiles pour être perçues par un monde attentif au seul rendement et à l'efficacité.

Sans sourciller, on aboutit ainsi à une sorte de mariage morganatique entre les valeurs d'être et les objectifs d'ordre pratique.

Dans un monde à qui échappe le sens du mystère et du sacré, la femme est exposée à renier ses racines pour relever les mêmes défis que l'homme, ceci parce que la punition qui, aux origines, a été imposée à l'homme, celle de gagner son pain à la sueur de son front, est devenue un objet de « convoitise » et outil de promotion !

À celui qui règne sur la création, le travail de l'esclave a plus d'attrait que le nimbe de la royauté.

Ce qui invite la femme à monter, elle aussi, dans l'arène, quitte à laisser sommeiller l'évocation des valeurs de vie dont son être déborde.

Lorsque Mozart m'annonce sa visite, je n'attends pas de lui qu'il résolve mes problèmes de comptabilité, mais de rester bouche bée en l'entendant jouer.

À chaque artiste sa compétence !

Aux Jeux olympiques, le vainqueur reçoit une médaille.

C'est que la performance de l'athlète, n'ayant pas par elle-même suffisamment de panache, a besoin d'être rehaussée par une décoration.

Mais qui a jamais pensé à couronner comme « vainqueurs » deux adolescents surpris par le grand amour ?...

Ici, le diadème ajouté ne peut que bafouer la minute d'éternité que les deux expérimentent alors.

Ce serait là profaner le plus pur du bonheur des deux élus, qui ne peuvent plus être attentifs qu'à la lumière qui les éblouit.

Le mystère est profané dès que l'on tente de lui ajouter quoi que ce soit!

Un miracle de vie répugne à tout diadème.

Au niveau de l'être, la dorure ne saurait que ternir!

Au banc des accusés, il n'y a pas que l'apôtre Paul, il y a aussi l'Église qui, «rétrograde et anachronique», fait preuve d'injustice envers la femme en lui interdisant l'accès au sacerdoce!

Mais se pourrait-il que l'Église, à la suite du Sauveur, en agissant ainsi, ait reconnu que la femme avait quelque chose de plus important à accomplir dans le monde que de consacrer le pain et le vin au Corps et au Sang du Christ, et que l'exercice d'un tel mandat risquerait de jeter dans l'ombre le rayonnement de son être?

L'Eucharistie d'ailleurs étant là non pour se substituer au mystère, mais pour le mettre davantage en lumière.

On a tout confondu, et on est devenu inattentif au langage des symboles.

La femme, de par sa nature même, est évocatrice des valeurs d'absolu.

Son être est référence à l'harmonie, à la douceur, à la communion.

Quelle méprise, on l'avait oublié: la vocation de la femme était de se «SOUMETTRE À L'AMOUR».

Il ne lui revenait pas de le verbaliser, mais cette perspective avait toujours été chez elle objet d'un désir inavoué!

LE PURGATOIRE

Les liens qu'au sein de l'Église, tu es invité à tisser avec les disparus sont remplis de richesses que tu as bien du mal à exploiter.

Prier pour les défunts est moins une intervention destinée à leur venir en aide qu'un moyen de plonger toi-même dans le feu, celui d'une plus grande charité.

Il est louable d'intercéder pour eux, mais la charité a ses secrets qu'elle dévoile à ceux-là seulement qui ont pénétré plus avant dans ses eaux.

Il est difficile de saisir les enjeux réels du Royaume.

On a vu les maîtres en Israël accorder une importance démesurée aux prescriptions extérieures de la loi, au point d'en oublier le cœur, sa dimension spirituelle.

On a vu «les fils du tonnerre» demander la permission de faire descendre le feu du ciel sur les habitants du bourg qui avait refusé de les recevoir.

On a assisté à la déconvenue de Marthe qui était persuadée d'être plus près de l'Amour en s'occupant de ce qui était un devoir sacré dans la loi ancienne, celui de l'hospitalité.

La manière la plus efficace d'aider les autres consiste à devenir toi-même lumière et feu.

Il arrive que, pour te prouver à toi-même et aux autres que tu es dans la charité, tu te donnes comme tâche de secourir les pauvres, de visiter les malades et d'aider ton prochain, ce qui est indispensable en régime chrétien.

Mais il importe de mettre de l'ordre dans ta charité qui, bien ordonnée, doit commencer par toi-même.

Il est clair aux yeux de tous que ce n'est pas en s'embrassant sans cesse que deux personnes parviendront à faire naître le grand amour entre elles.

C'est l'amour qui, surgissant du fond du cœur, déclenche le besoin d'embrasser.

Le pharisien qui prie, debout dans le Temple, n'est pas le seul à se croire plus juste que le publicain voleur qui confesse son indignité.

À la limite, tu peux en arriver à poser des actes de vie en leur faisant dire exactement le contraire de ce qu'ils signifient, comme la stricte observance du sabbat au détriment d'une femme malade qui devra attendre au lendemain.

Sans aller jusqu'à ces extrêmes, il arrive que ta vie soit remplie de gestes morts auxquels tu accoles des apparences de vie.

Face à ton vide intérieur, ton premier réflexe sera de secouer ta médiocrité, mais l'Esprit t'attend ailleurs et autrement.

Pourquoi est-il si difficile de t'offrir à Dieu tel que tu es ?

Une contrition à grand renfort de résolutions est plus éloignée du Royaume qu'un acte de vérité sincère en présence de Dieu.

Si tu pouvais entendre les âmes du purgatoire, lorsque tu pries pour leur délivrance, elles te diraient :

«J'ai beaucoup de reconnaissance pour la sollicitude que tu manifestes à mon endroit, mais je préférerais te voir suivre toi-même le Sauveur de plus près, changer ta propre vie en profondeur plutôt que de venir ainsi à mon secours. Car c'est pour n'avoir pas suivi le Maître d'assez près que je suis ici aujourd'hui, et c'est en réparant ma négligence, en le suivant toi-même de plus près, que tu m'apporteras le plus précieux des réconforts.»

Du fond de sa prison, Paul disait à ses Philippiens: «Mettez le comble à ma joie non pas en venant me délivrer de mes chaînes, mais en ayant (entre vous) les mêmes sentiments.»

Quelle admirable leçon!

Comme pour ce qui en est du baiser des amoureux, une parole de vie s'échappe de celui qui est vivant et, immanquablement, cette parole atteint son objectif «en plein cœur»!

Si, un jour, tu entres en purgatoire, ce sera uniquement pour apprendre que tu n'avais pas besoin d'y passer: il te fallait seulement apprendre que le Père était disposé à te recevoir en toute gratuité, comme il a accueilli l'enfant perdu de la parabole encore mal disposé, quel que soit l'état dans lequel tu pouvais te retrouver.

Enfant prodigue ou grand frère obéissant, à ses deux enfants, sa porte est toujours ouverte.

Personne ne va au purgatoire pour expier ses fautes, mais uniquement pour apprendre que Dieu est Amour inconditionnel, ce qu'aujourd'hui, tu as tellement de difficulté à croire et à accepter.

Il te faudra passer de l'intervention salvatrice à la contemplation admiratrice.

Personne n'exigera d'un enfant qu'il agisse comme un adulte.

Quand l'Église demande à tous d'intercéder pour les disparus, elle s'adresse à ceux qui sont encore des enfants dans l'ordre de la foi.

C'est avec une approche « humaine » que tu t'empresses de venir en aide aux défunts.

Tu intercèdes auprès de Dieu pour qu'il ne les laisse pas languir et leur ouvre les portes de son Paradis.

Un peu comme s'il avait besoin de ton éclairage et de ta charité pour agir en leur faveur!...

Un peu encore comme si tu avais plus de compassion que lui envers ceux qui attendent pour entrer dans la gloire.

Insister auprès d'une autorité pour gagner ta cause, voilà une démarche bien humaine!

L'Apôtre Jean dit que, dans l'amour, il n'y a pas de crainte.

Tu appréhendes le jugement que tu devras subir au dernier jour lorsque toute ta vie sera mise en lumière devant la multitude des élus, lorsque sera proclamé sur les toits ce que tu auras dit dans le secret.

Tu aspires à paraître devant Dieu en étant, si possible, sans péché et sans reproche.

Cependant ici, le défi ne consiste pas à être irréprochable, mais à croire en l'amour.

Ton péché ne consiste pas à avoir été égoïste, gourmand ou injuste, mais à prêter à Dieu, autant dire à l'Amour, les attitudes qui sont les tiennes lorsqu'il s'agit d'aimer et de pardonner, et de le croire capable d'une forme de justice qui récompense ou sanctionne suivant que la conduite de celui qui se présente devant lui est bonne ou mauvaise.

Le premier désir des âmes séparées n'est pas de te voir intercéder pour elles, mais de réparer leur manque de foi en l'Amour, leur méconnaissance de Celui qui aime sans cause, de Celui qui accueille «les bons comme les mauvais».

L'évangile t'apprend que le larron, la prostituée et le publicain n'ont pas eu à passer par le purgatoire pour entrer dans le Royaume par la grande porte.

Te sentir mal à l'aise de devoir paraître devant Dieu avec ta faute, c'est témoigner qu'il n'est pas l'absolu de l'amour, de l'amour qui ne tient pas compte du mal.

Tu agis comme si, en passant dans le Royaume, les lois de l'évangile devaient être changées, alors que c'est là qu'elles prennent toute leur force, les paraboles de la miséricorde n'étant qu'une lointaine évocation du baiser de joie qui attend tous ceux qui ne nourrissent pas la prétention de pouvoir l'acheter avec leur justice, à l'image du pharisien.

Tu objecteras que le désir d'être sans péché pour paraître devant Dieu n'est pas une négation de l'Amour, mais simplement une attitude de respect qu'il convient d'avoir pour paraître en sa présence.

Mais ce subtil désir laisse entendre qu'il serait plus confortable pour toi d'être aimé s'il y avait en toi quelque chose qui méritait d'être aimé, ce qui est précisément le péché de ce juste qui, priant dans le temple, croyait être mieux accueilli que le pécheur prosterné au fond du temple.

Ce n'est pas parce que le Prodigue a été embrassé avec grande joie qu'il s'est senti digne d'être reçu de façon triomphale mais, il en avait l'évidence, uniquement parce que le cœur de son père était bon.

Voilà l'unique souci qui convient à un enfant du Royaume : voir le meilleur de Dieu se manifester lorsqu'il aime celui qui ne mérite pas d'être aimé.

Il n'existe donc qu'un seul péché, un seul, celui d'hésiter à croire que l'Amour puisse agir à l'encontre de sa nature profonde qui est le débordement.

Ce qui laisse entendre que, pour toi, il est une seule manière d'aider les défunts : croire à l'absolue gratuité de l'amour, et y croire jusqu'à la témérité en réparation pour ceux qui ont hésité à reconnaître Dieu pour ce qu'il était vraiment, l'Amour.

Tu iras donc au purgatoire uniquement pour apprendre que Dieu est disposé à t'accueillir, quel que soit ton état, juste ou pécheur, bon ou méchant.

Si tu ne te refuses pas à la lumière, tu devras reconnaître que ton péché est le même que celui des docteurs de la loi, le refus de croire : c'est là tout le contenu du quatrième évangile.

Dans la parabole, encore et toujours, n'est-ce pas celui qui a nié la gratuité de l'amour en faisant appel à son obéissance qui se heurte à la porte du festin, là où il vit son purgatoire ?

Et dire que tu rêves toi aussi d'être digne de l'amour, et de ressembler ainsi à ce si triste personnage !

Le Seigneur a souffert pour te mériter le Royaume, et si tu es invité à le suivre, à l'imiter, ce n'est pas pour « mériter » d'avoir part avec lui, mais uniquement pour lui être rendu conforme, lui qui se livre pour ceux qu'il aime.

Ce n'est ni par ta vigilance ni par ta générosité que tu deviendras vainqueur des racines de mort qui tapissent le fond de ton être, mais en découvrant la beauté du visage de l'Amour.

C'est le père de l'enfant perdu qui se donne de la peine pour la préparation de la fête pour son enfant, cet enfant dont le cœur est encore si éloigné des dispositions de l'amour, puisqu'il ne revient que pour avoir à manger.

De même, c'est le Berger qui s'épuise à la recherche de la brebis perdue.

Qu'est-ce que le Prodigue a eu à investir pour mériter d'être embrassé ?

Quel tribut la brebis, non encore convertie, a dû investir pour avoir sa place sur les épaules du bon Berger ?

Comprendras-tu enfin le message que Dieu t'adresse dans toutes ces circonstances ?

Comme il peut être difficile pour toi de croire jusqu'à la démesure, de désarmer Dieu et d'accepter que son cœur soit plus grand que le tien !

Trouveras-tu en toi suffisamment de générosité pour venir en aide aux disparus en croyant éperdument à l'Amour ?

TABLE DES MATIÈRES

Achevé d'imprimer
sur les presses de
Imprimerie H.L.N.
Imprimé au Canada - Printed in Canada